世界古典建筑艺术

EUROPEAN CLASSICAL ARCHITECTURAL DETAILS

欧洲古典建筑细部

SCAN EUROPEAN CLASSICAL ARCHITECTURAL DETAILS' CHARM

透视欧洲古典建筑细部的魅力

（一）

古希腊、古罗马、拜占庭、罗曼式、哥特式

聚艺堂文化有限公司 编著

中国林业出版社
China Forestry Publishing House

图书在版编目（CIP）数据

欧洲古典建筑细部. 1 / 聚艺堂文化有限公司 编著. -- 北京：中国林业出版社, 2013.1

ISBN 978-7-5038-6931-0

Ⅰ. ①欧… Ⅱ. ①聚… Ⅲ. ①古典建筑—建筑设计—细部设计—欧洲—图集 Ⅳ. ①TU-883

中国版本图书馆CIP数据核字(2013)第012159号

“欧洲古典建筑细部”编委会

编委会成员名单

策　　划：聚艺堂文化有限公司

编写成员：	李应军	鲁晓辰	谭金良	瞿铁奇	朱 武	谭慧敏	邓慧英
	贾 刚	张 岩	高囡囡	王 超	刘 杰	孙 宇	李一茹
	姜 琳	赵天一	李成伟	王琳琳	王为伟	李金斤	王明明
	石 芳	王 博	徐 健	齐 碧	阮秋艳	王 野	刘 洋
	陈圆圆	陈科深	吴宜泽	沈洪丹	韩秀夫	牟婷婷	朱 博
	宁 爽	刘 帅	宋晓威	陈书争	高晓欣	包玲利	郭海娇
	张 雷	张文媛	陆 露	何海珍	刘 婕	夏 雪	王 娟
	黄 丽	程艳平	高丽媚	汪三红	肖 聪	张雨来	韩培培

中国林业出版社 · 建筑与家居出版中心

责任编辑：纪 亮　李丝丝　李 顺

出版：中国林业出版社 （100009 北京西城区德内大街刘海胡同 7 号）
网址：www.cfph.com.cn
E-mail：cfphz@public.bta.net.cn
电话：（010）8322 5283
发行：新华书店
印刷：北京利丰雅高长城印刷有限公司
版次：2013年5月第1版
印次：2013年5月第1次
开本：230mm×305mm 1/16
印张：14
字数：150千字
本册定价：249.00 元（全套定价：996.00元 ）

前言

欧洲古典建筑有两种含义，从广义上讲，是指工业革命以前以建筑外立面形式为主要设计出发点的建筑。从狭义上讲，古典建筑是指古希腊和古罗马时期的以柱式为主要设计出发点的建筑，和以后的其他建筑样式相区别。

重视柱式的运用成为古希腊建筑的最大特色。主要类型有多立克柱式、爱奥尼柱式和科林斯柱式。多立克式的“大肚皮”式柱身和无底座的基底显得它古朴庄重，运用于多个大型神庙建筑；爱奥尼柱式的涡卷饰柱头和修长精致的柱身柔美秀丽；科斯林式卷叶式让柱式的发展达到了顶峰，展现傲人的华丽。这些柱式在不断向华美精致的方向发展的同时，也作为古希腊建筑的结构之一。

古罗马建筑的最大成就是光辉的券拱技术（这也与当地盛产天然混凝土是分不开的，其主要成分是一种活性火山灰）。古罗马在伊特鲁里亚和希腊的建筑基础上发展了梁柱与拱券结构技术。种类有：筒拱、交叉拱、十字拱、穹隆（半球）。创造出一整套复杂的拱顶体系。罗马建筑的布局方式、空间组合、艺术形式都与拱券结构技术、复杂的拱顶体系密不可分。

虽然这两个时期建筑的发展在欧洲建筑发展史上有着光荣的、无可替代的地位，但毕竟还只是开始，由于材料、技术以及其他因素的限制，那个时代创造的建筑很少，能够留存到今天让我们去探索和研究的更是屈指可数，因此，在这本书里我们还是愿意从广义的角度来探讨欧洲古典建筑的发展，以及不同时期不同建筑的风格特点。鉴于资源有限，我们不可能完整全面地将欧洲建筑的发展和成就全部呈现给大家，但至少我们能够让大家通过这本书的介绍，能更深刻的领会到：任何伟大的创举，它都是继承了前人类的智慧和思想不断发展升华得来的。正如古罗马建筑技术的发展，正是有了古希腊建筑的成就，才造就古罗马建筑的辉煌。之后的拜占庭建筑、罗曼式建筑、哥特式建筑、文艺复新建筑、巴洛克建筑等等，无一不是遵循这一规律。有了这样的认识，在今后的研究创作中，我们才能够更清楚地去看待继承与发展、创造与传承的关系。

欧洲人有句谚语：“光荣归于希腊，伟大归于罗马”。那么在我们所处的这个时代，我们将要创造怎样的光荣？我们又能拥有怎样的伟大？这需要我们共同努力。让我们一起期待！

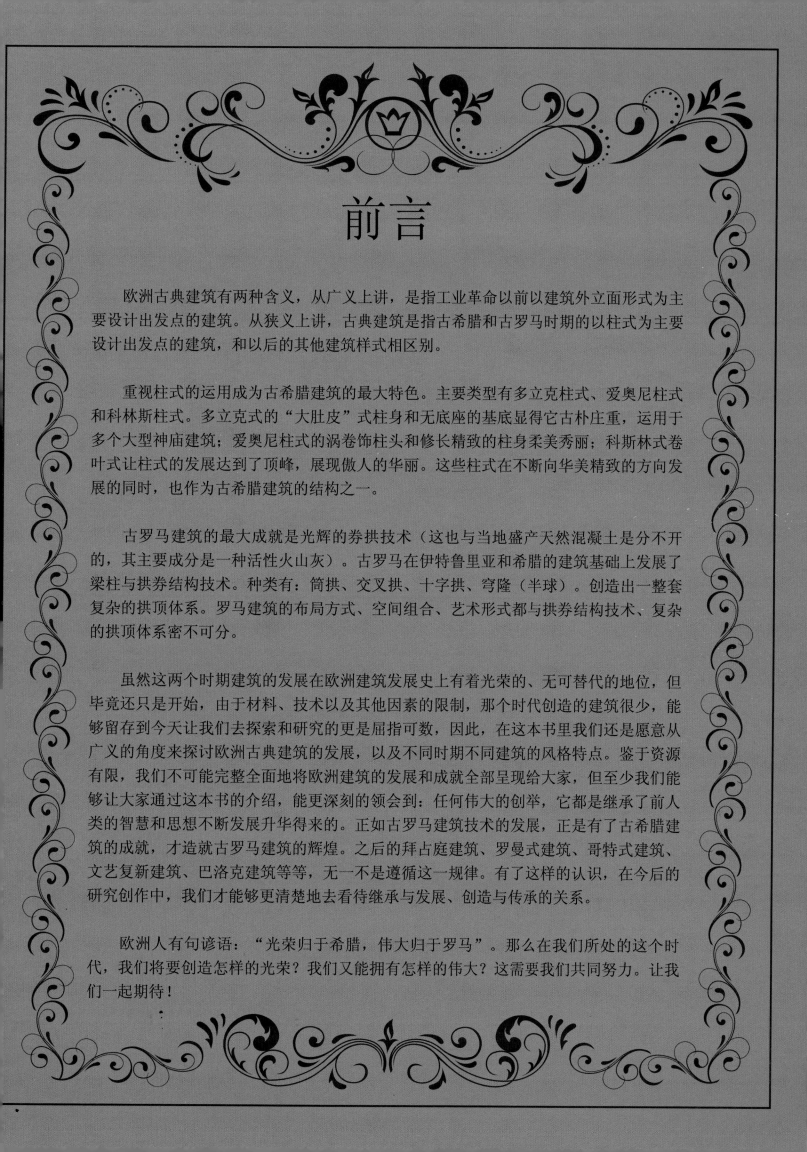

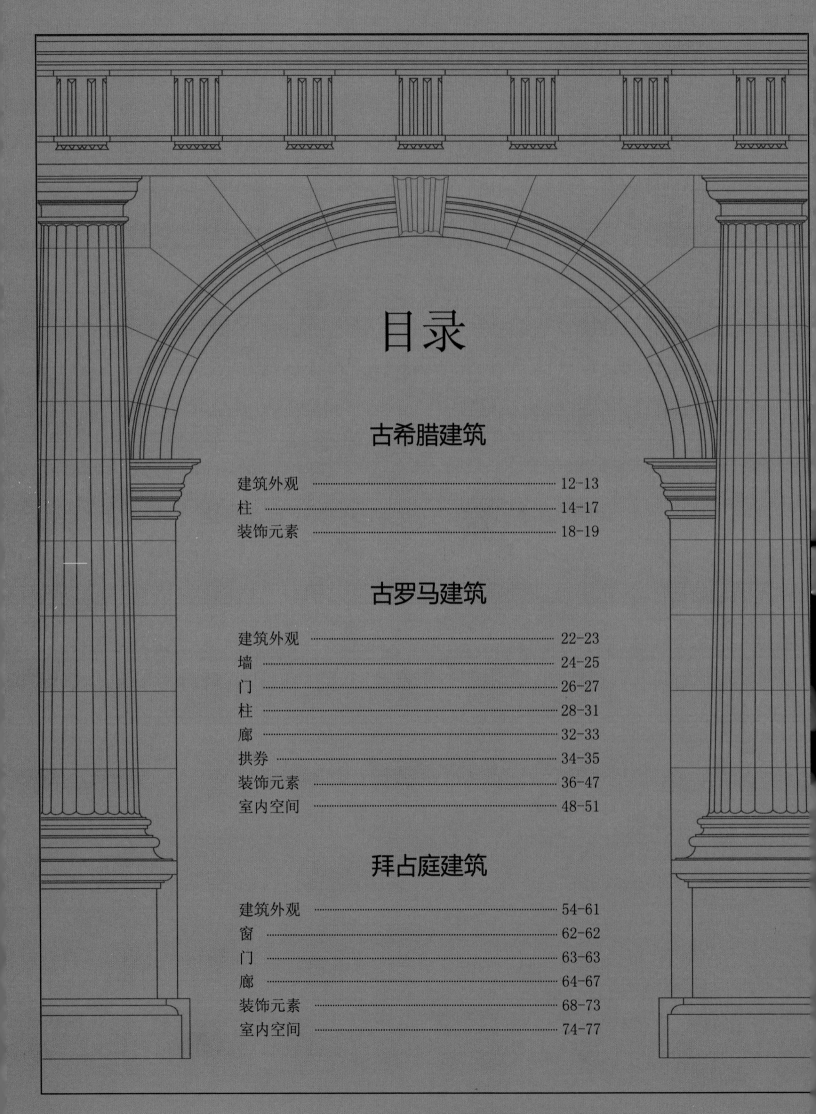

目录

古希腊建筑

古罗马建筑

拜占庭建筑

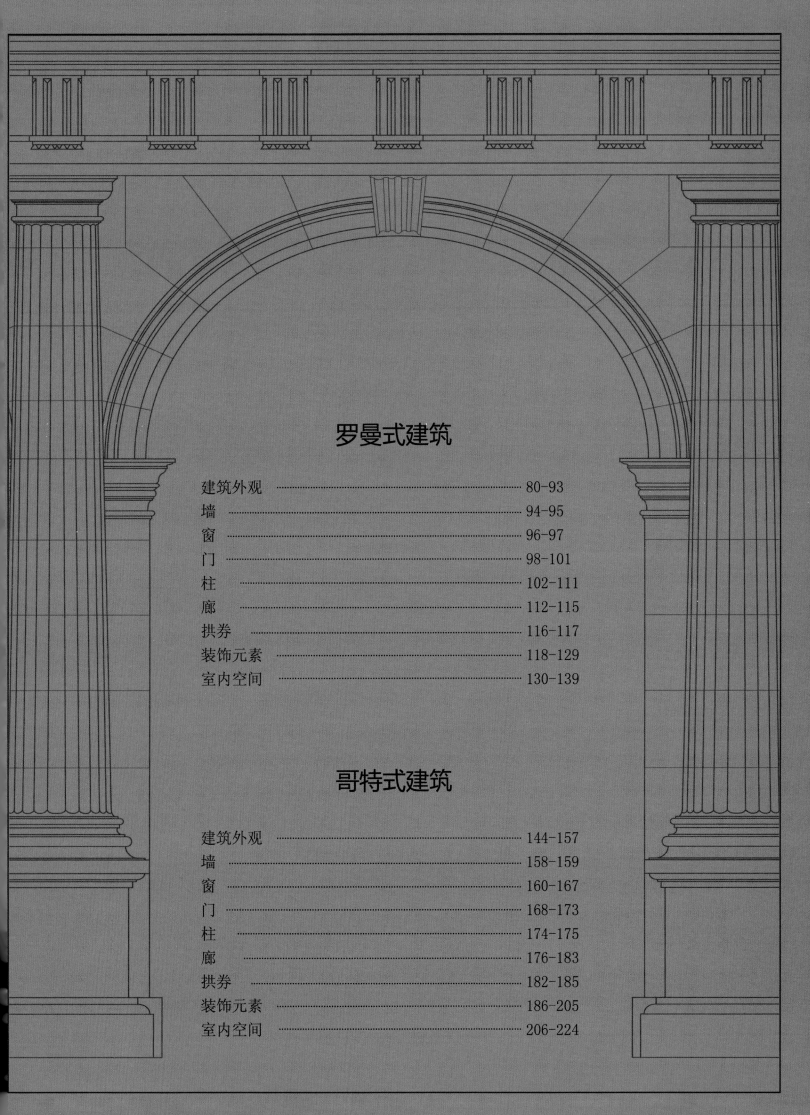

罗曼式建筑

哥特式建筑

欧洲古典建筑的发展及表现方式

欧洲古典建筑从古希腊算起已经历了2700多年。欧洲古典建筑始终是欧洲政治、宗教、文化的见证者和标志。从古希腊时期开始，欧洲古典建筑的语言、元素、表现手法都基本上沿着一条文化脉路传承下来。

从建筑学分类角度来讲，欧洲古典建筑分为古希腊时期、古罗马时期、基督教时期、文艺复兴时期及最后的帕拉迪奥时期等风格鲜明的阶段。这些风格之间，既有区别又有联系，基本是沿着文教政治主线走过来的。下面将对这些时期建筑的特点分别予以解读。

古希腊时期，约公元前7世纪到公元前1世纪

古希腊文明是欧洲发展最完善的一个古文明，其发展层次远远高于当时欧洲的其他地区。古希腊首先建立了完整的神学体系，每种文明的建筑都是依托于神学体系生存的，体系会去影响建筑的发展。所以早期的建筑师是建立在为这样的体系服务的前提之下的。建筑维护了神学体系，同时使自己也得到了长足的发展。

古希腊的建筑是从大大小小的纪念神庙开始的，历经2000多年仍然贮存于世。古希腊建筑是欧洲古典建筑的鼻祖，建筑师很好地总结归纳了前古典时期混乱的建筑风格，渐渐确立了一种理想的建筑形态。

那时的神庙建筑由最初仅有一个单室，逐渐变化成了围廊结构，即建筑主体被柱廊包围。神庙的方向也有考虑，绝大多数庙宇都是东西向的，因此每天东升的太阳都能第一时间照到神像。漫斜的屋顶通过横梁传力，落到下方排列的柱子，柱子又立在排柱基座上。这就是这时期建筑的基本造型。

神庙前方会形成三角形的山花造型，后期的人们对山花的装饰也越来越复杂，山花线脚有植物雕刻装饰，山花空间里也嵌入人物雕塑。两侧房檐由三陇板点缀。柱子有多立克柱式、爱奥尼柱式、科林斯柱式。这些柱式成为欧洲建筑的基本柱式，影响着欧洲建筑风格，至今都被人不断运用。石料代替木料做建筑材料，使这些神庙建筑在战火中保存下来，使建筑在那时刻几乎成为永恒。在希腊战胜波斯帝国以后，神庙建筑越发发展。希腊人愿意建造神庙，来提升国家的成就，彰显战功。古希腊建筑达到了顶峰。山花上，屋檐上站满了神像，刻满了纪念神的文字。后来还出现的女像柱，及大量的石雕雕塑。这些新鲜的装饰元素，只是建筑师求异求繁，试图有所突破的尝试，但最终他们没能撼动原始神庙基本的建筑形态和结构。

古罗马时期，约公元前3世纪到公元340年

随着古罗马帝国的崛起，希腊也渐渐衰落。最终古希腊和古埃及都被古罗马统治。那时期古国大量的艺术品，都被罗马人洗劫一空，只留下空空的神庙。古罗马传承了希腊的建筑文明，将建筑又向前推进了一步。罗马人建造了大量建筑，彰显帝国荣耀。

古罗马的建筑深受古希腊影响，建筑师吸收了古希腊的经典样式，采用罗马的建造方式。罗马人这时期在结构上发明了大跨度无柱支撑的技术，这是建筑史上的一大进步。使建筑形态拓展有了新的可能。这样的结构可以在庞贝古城中找到实例。古罗马人还发明了石拱券，使建筑形态出现筒形拱、十字拱、穹顶及半球穹顶等新的建筑形态。大穹顶造型使室内空间豁然开朗，空间变高变大，气势恢宏。为填补单调的天花表面，出现各种各样几何形态的藻井造型。这也是古罗马时期建筑的一大特点。

在建筑的外立面上有了大量的连排券柱结合的外墙造型，使建筑很有气势。解决了古希腊建筑外立面的单调缺陷。古希腊做了这么多的拱券，大概有两种解释：一方面，为了宣扬战功武力，可以把他们从古希腊，古埃及抢来的战利品有地方展示；另一方面，与他们封建联邦“议会”制的政体有关。他们崇尚自己的英雄人物，这样的结构也可以展示他们自己的英雄，供国人瞻仰。

古罗马帝国靠宣扬武力，起起伏伏竟维持了600多年。这对周围的文明无疑是一种灾难。唯有建筑领域，得到了更好的发展，并为欧洲古典建筑奠定了基础。

基督教时期，公元313年到1453年

为巩固可能衰落的帝国体系，统治者最终引入了基督教。希望对内教化民众，对外作为征服的工具。宗教的诛心力量是非常可怕的，最终罗马的政权也落在了教皇手里，政教合一。建筑师开始为他们服务。这时期各地建起了许许多多的天主教堂。建筑师将原来的穹顶发展成为联券肋拱，层叠穹顶，将穹顶设计推上了极致。建筑师综合了其他的建筑语言，让建筑呈现出一种节奏感韵律感。建筑师开始使用更为复杂的数学计算来完成建筑结构的设计。因此，建筑学变得难于掌握和学习。这时期结构的进步，使建筑外观也有了很大变化。出现了很多城堡状建筑形态。这就是拜占庭时期的建筑风格。

随着罗马政权体制的变化，宗教在整个欧洲的势力越来越大。教堂在各地纷纷被建造，他们最初的模板就是罗马城的教堂。这些建筑被称为“罗马式”。大跨度的穹顶被作为建筑基础确定下来，配以高塔钟楼。建筑平面就像复杂漂亮的十字架，宗教传到哪里，建筑十字架就钉到哪里。

其外立面仍维系着古罗马时期的一些建筑语言，后来渐渐出现镶嵌玻璃窗，让阳光从这里宣泄进来，增加神秘感。基督门徒雕塑出现在拱券里，门拱上。

建筑内部宽大宏伟，相对封闭，外表坚不可摧，只是外表装饰与建筑体量相比略显单薄平淡，建筑缺乏气势。直到后来，建筑师吸收了东正教建筑元素，在单调的建筑外形上立起栉次鳞比的小尖塔装饰。给欧洲的建筑注入了新鲜血液。“哥特式”开始进入建筑舞台。那时期的教堂的肋拱越建越大，越建越高。仅仅这样还不够，外建筑开始出现高耸入云的尖塔，整个建筑上插满小尖塔，野兽，神怪。使建筑变得很魔幻，很神秘。告诉人们在这里可以跟上帝对话。让人对基督教更加敬畏。

装饰造型也越来越复杂。石材雕刻出来的十字花格大圆窗，火焰状外花式窗棂，将石材雕刻发挥到了巅峰。手法复杂，令人“发指”。一座教堂往往会耗费建筑师一生的精力。许多设计师甚至看不到自己的设计成果，因为等建筑造好了，建筑师早就死了。哥特式建筑主要用来建造教堂，在法国、德国、西班牙，也有少量这样的民用建筑被建造。最终这种建筑在英国达到了顶峰，伦敦有很多建筑都是这种风格。

文艺复兴时期及之后发展，15世纪早期到约1630年

冗长的教皇统治时代，慢慢过去。人们从那黑暗的中世纪的煎熬中觉醒起来，皇室重新掌控了政权，政教分离。建筑也从那繁琐的精雕细琢中解放出来。建筑师开始了文艺复兴运动。他们整合了历代建筑的特点，以复兴辉煌的古罗马文明为旗号，对建筑艺术进行颠覆性改革。那时的古罗马建筑手法已经失传。建筑师研究古迹，重新整合出一套新罗马式建筑手法。强化建筑结构自身的造型感，修改建筑的比例，大胆舍弃了繁杂的尖塔装饰。使建筑仍然具有很强烈的美感。于是很快得到了认可。因为这样的建筑饱满，挺拔，庄重，大气，很符合欧洲人多年积累下来的气质。

最终经过整合，“巴洛克”风格确立下来。“巴洛克”风格是欧洲古典建筑的集大成者。山花、柱廊、拱券、穹顶、藻井、雕塑，都在这里找到了自己的位置。“巴洛克”风格糅合了千年来建筑手法的建筑形态，成为欧洲古典风格的代表。这之后，为满足皇室奢靡的要求，又出现了纯装饰的室内描金花草纹造型装饰——洛可可，以丰富巴洛克建筑观赏作用。

“巴洛克”风格对欧洲建筑的影响很大。工业革命以后的帕拉迪奥时期，建筑也开始标准化，使建筑的建造效率也大大提高。在欧洲的建筑形态中，古典建筑的比例仍然占到60%。新古典时期，巴洛克被简化，被取代，建筑风格变得更简洁、更易于建造。最终巴洛克被作为经典收进建筑史册。时至今日，欧洲古典建筑与现代建筑并存于世，相互辉映，相互依存。

欧洲古典建筑风格沿着一条清晰的政治，文化主线，一脉走下来。有传承，有创新，也有过一些挫折和迷茫。许多满腔热忱的建筑师前仆后继，潜心研究，用心维持。由感性到理性，共同铸造起一座可以作为典范的古典建筑丰碑。

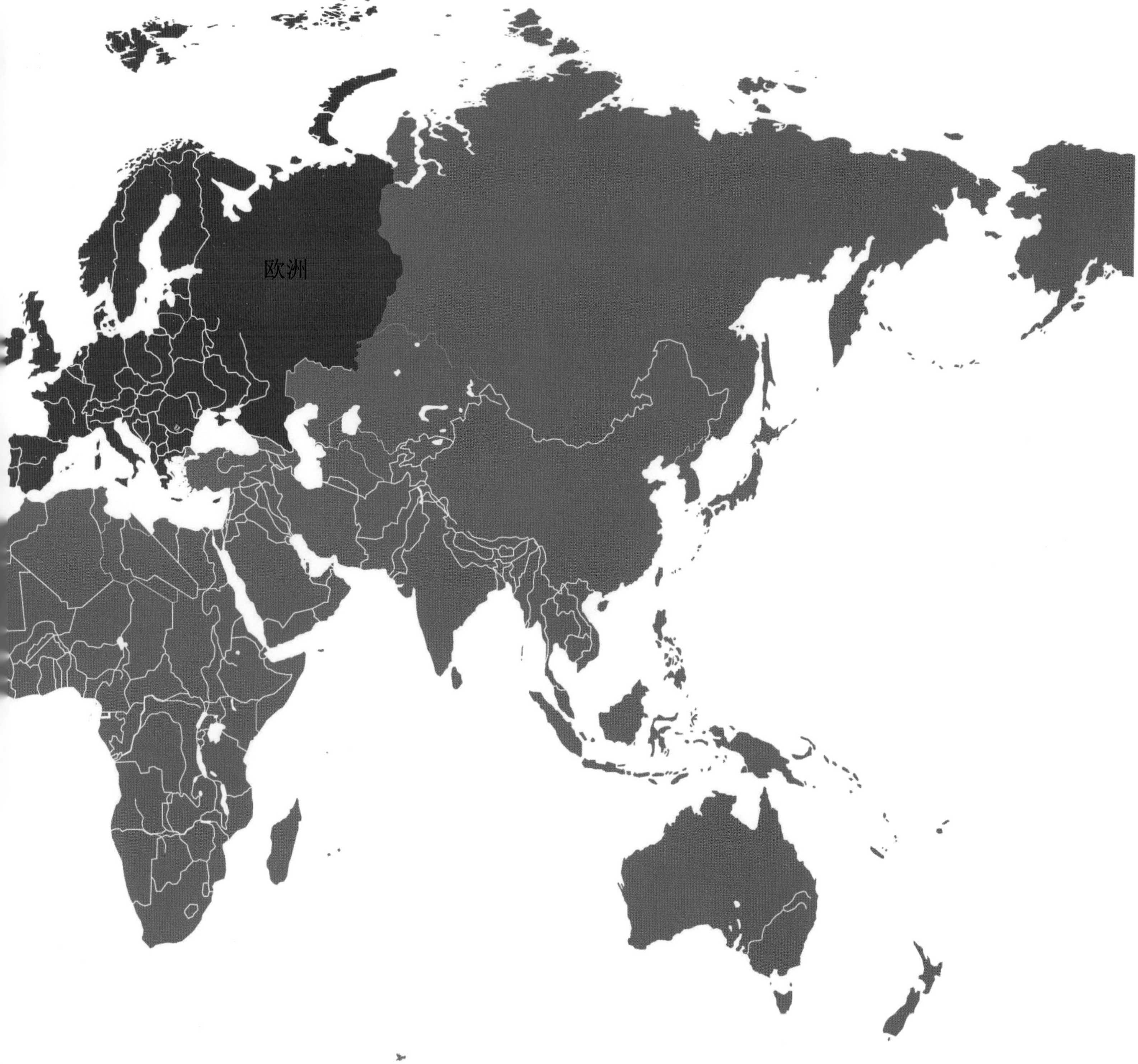
欧洲

ANCIENT GREEK

古希腊建筑

《欧洲古典建筑细部》

ARCHITECTURE

古希腊建筑

（时间：公元前2000年～公元100年）

概貌

在建筑方面，古希腊人的遗产可以认为有两个主题。一个是希腊建筑所包含的形象模型。这些模型首先包括一系列装饰物术语、雕塑以及风格，多多少少或全盘被接受，或者断断续续被使用和废弃。即使失宠，也不能轻率断定它们已经从西方建筑师们的数据库中完全消失了。希腊建筑流传于世的第二个方面就是希腊人对建筑的本质看法。建筑形式总是让人被动地接受，而关于建筑的本质看法只能意会于心。人们知道要恰当设计一个建筑物的维度，就必须遵循一定的数学比例。这种观点是希腊人的，不管在本质上，还是在选择适当的比例上。这种观点在文艺复兴时期再次现身，有时建筑形式的完美性不厌其烦地重复一些偏爱的形状。现存的建筑物遗址主要就是神殿、剧场、竞技场等公共建筑，其中尤以神殿为一个城邦的重要活动中心，它也最能代表那一时期建筑的风貌。古希腊人的生活受控于宗教，所以理所当然的，古希腊的建筑最大的、最漂亮的都非希腊神殿莫属。古希腊人认为，神也是人，只是神比普通人更加完美，他们认为供给神居住的地方也不过是比普通人更加高级的住宅。所以，希腊最早的神殿建筑只是贵族居住的长方形有门廊的建筑。后来加入柱式，由早期的“端柱门廊式”逐步发展到“前廊式”，即神殿前面门廊是由四根圆柱组成，以后又发展到“前后廊式”，到公元前6世纪前后廊式又演变为希腊神殿建筑的标准形式——“围柱式”，即长方形神殿四周均用柱廊环绕起来。希腊神殿建筑总的风格是庄重典雅，具有和谐、壮丽、崇高的美。这些风格特点在各个方面都有鲜明的表现。

特点

根据遗留下来的希腊建筑，我们可以归纳出古希腊建筑的几大特点。

第一特点是：平面构成为1:1.618或1:2的矩形，中央是厅堂、大殿，周围是柱子，可统称为环柱式建筑。这样的造型结构，使得古希腊建筑更具艺术感。因为在阳光的照耀下，各建筑产生出丰富的光影效果和虚实变化，与其他封闭的建筑相比，阳光的照耀消除了封闭墙面的沉闷之感，加强了希腊建筑的雕刻艺术的特色。

第二特点是：柱式的定型。共有三种柱式：1. 多立克柱式，2. 爱奥尼柱式，3. 科林斯柱式。这三种柱式是在人们的摸索中慢慢形成的，后面的柱式总与前面柱式之间有一定的联系，有一定的进步意义。而贯穿三种柱式的则是永远不变的人体美与数的和谐。柱式的发展对古希腊建筑的结构起了决定性的作用，并且对后来的古罗马，欧洲的建筑风格产生了重大的影响。

第三特点是：建筑的双面披坡屋顶形成了建筑前后的山花墙装饰的特定的手法。古希腊建筑中有圆雕，高浮雕，浅浮雕等装饰手法，创造了独特的装饰艺术。

第四特点是：古希腊人崇尚人体美，无论是雕刻作品还是建筑，他们都认为人体的比例是最完美的。大建筑师维特鲁威转述古希腊人的理论：“建筑物……必须按照人体各部分的式样制定严格比例。” 所以，古希腊建筑的比例与规范，其柱式的外在形体的风格完全一致，都以人为尺度，以人体美为其风格的根本依据，它们的造型可以说是人的风度、形态、容颜、举止美的艺术显现，而它们的比例与规范，则可以说是人体比例、结构规律的形象体现。所以，这些柱式都具有一种生气盎然的崇高美，因为，它们表现了人作为万物之灵的自豪与高贵。

第五特点是：建筑与装饰均雕刻化。希腊的建筑与希腊雕刻是紧紧结合在一起的。可以说，希腊建筑就是用石材雕刻出来的艺术品。从爱奥尼柱式柱头上的旋涡，科林斯柱式柱头上的由忍冬草叶片组成的花篮，到女郎雕像柱式上神态自如的少女，各神庙山墙檐口上的浮雕，都是精美的雕刻艺术。由此可见，雕刻是古希腊建筑的一个重要的组成部分，是雕刻创造了完美的古希腊建筑艺术，也正是因为雕刻，使希腊建筑显得更加神秘、高贵、完美、和谐。

柱

柱：参照人体比例

古希腊的爱奥尼柱式和多立克柱式是古希腊两种最基本的柱式。它们都是从木结构演变而来，公元前5世纪中叶达到成熟程度。爱奥尼柱式的主要特征是柱头的正面和背面各有一对涡卷，有柱础，由圆盘等组成。多立克柱式的柱头是个倒圆锥台，没有柱础。爱奥尼柱式如女性的柔美,多立克柱式似男性的刚健。公元前5世纪下半叶，希腊才出现科林斯柱式。

多立克柱式是一种没有柱础的圆柱，直接置于阶座上，由一系列鼓形石料一个挨一个垒起来的，较粗壮宏伟。圆柱身表面从上到下都刻有连续的沟槽，沟槽数目的变化范围在16条到24条之间。它来自于古埃及，由法国埃及学者所命名的先多立克柱式，是这种希腊柱式的先驱。多立克柱又被称为男性柱。

爱奥尼柱式比较纤细轻巧并富有精致的雕刻，柱身较长，上细下粗，但无弧度，柱身的沟槽较深，并且是半圆形的。上面的柱头有装饰带及位于其上的两个相连的大圆形涡卷所组成，涡卷上有顶板直接楣梁。总之，它给人一种轻松活泼、自由秀丽的女人气质。爱奥尼柱又被称为女性柱。

科林斯柱式最早可能出现于雅典奥林匹斯山的宙斯神庙，四个侧面都有涡卷形装饰纹样，并围有两排叶饰，特例追求精细匀称，显得非常华丽纤巧。希腊科林斯柱式的比例比爱奥尼柱更为纤细，柱头是忍冬草形象（或说用毛茛叶作装饰，形似盛满花草的花篮）。相对于爱奥尼柱式，科林斯柱式的装饰性更强，但是在古希腊的应用并不广泛。

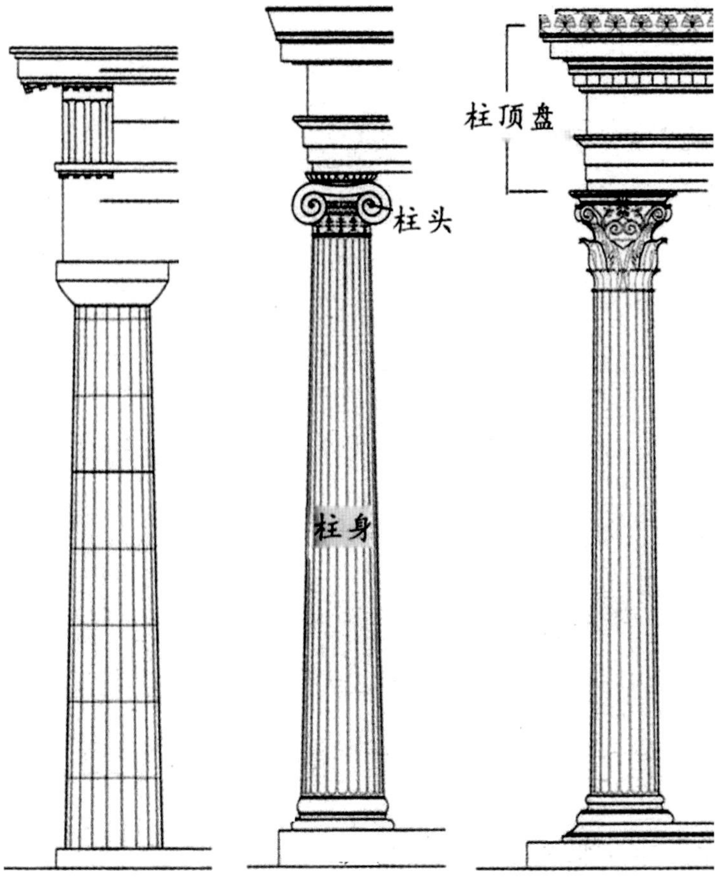

多里克柱式　　爱奥尼柱式　　科林斯柱式

装饰元素

装饰构件：人物雕塑、浮雕

希腊古典雕塑是西方雕塑艺术的典范。古希腊是一个泛神论的国家，建造大规模的神庙是出于对神的崇拜，这些神庙成为浮雕的主要载体。公元前5世纪，进入鼎盛时期的古希腊开始大量地运用浮雕来装点城市和建筑。包括三角楣墙雕刻、浮雕间板和饰带浮雕在内的巴特农神庙上的浮雕艺术，无疑是希腊古典雕刻遗迹中最伟大的作品。楣墙雕刻的高浮雕近乎于圆雕，占据饰带矩形空间的是为数不少的浮雕间板，它们描绘了勒庇底人和堪陀儿、神祇和巨人、希腊人和阿马戎人的战斗场面。这些显然出自不同学派艺术家之手的浮雕间板，尽管雕刻风格和手法各不相同，但都能将多样丰富的内容巧妙、得体地安排在特定的平面空间中，没有生拼硬凑之嫌。饰带浮雕象间板浮雕一样，沿着建筑向四面伸展，规模宏大。
近似圆雕的高浮雕手法和渐远形体的大小交错排列，最大限度地暗示了空间的深度，整个构图形式则给予观者以强烈的运动感和冲击力。希腊浮雕艺术建立在卓越的写实基础之上，其人物造型结构严谨，解剖准确，表现出希腊人在写实造型方面的高超技巧。
希腊人有注重"逻辑"和"求真"的传统，他们的艺术家通过对自然的观察，逐步找到了描写自然的方法。希腊早期的雕塑，衣服通常用凹线来表现，随着求真的发展，这些衣纹变为凸起的造型线，传统的二度空间被三度空间所取代。古希腊浮雕为西方艺术创造了一种美的典范，并在西方艺术史上达到了一个难以企及的高度。

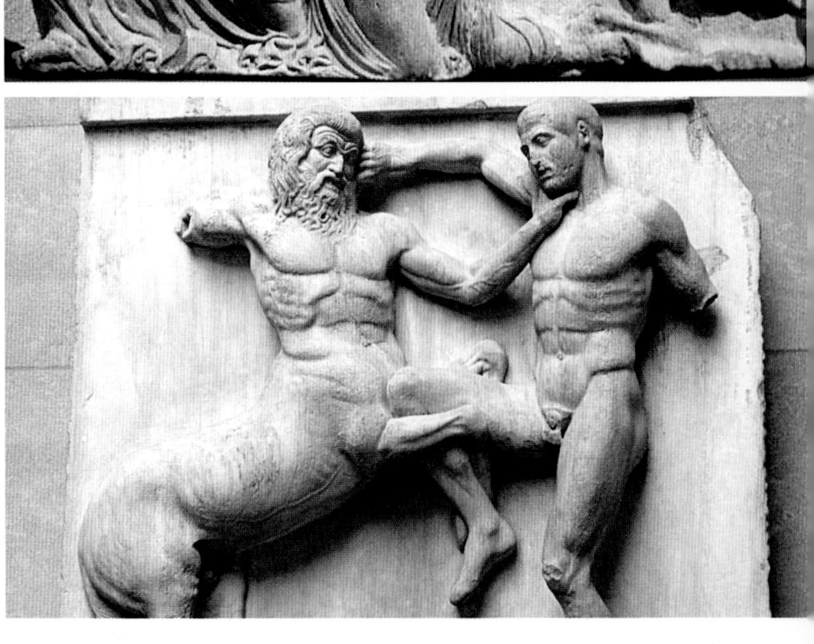

23

ANCIENT ROME
古罗马建筑

《欧洲古典建筑细部》

ARCHITECTURE

古罗马建筑

（时间：公元1～3世纪）

概述

古代罗马建筑是建筑艺术宝库中的一颗明珠，它承载了古希腊文明中的建筑风格，凸显地中海地区特色，同时又是古希腊建筑的一种发展。古罗马在公元前2世纪成为地中海地区强国，与此同时罗马人也开始了罗马的建设工程。到公元1世纪罗马帝国建立时，罗马城已成为与东方长安城齐名的世界性城市。其城市基础设施建设已经相对完善，城市逐步向艺术化方向发展。罗马建筑与其雕塑艺术大相径庭，以建筑的对称、宏伟而闻名世界。

古罗马建筑是古罗马人沿习亚平宁半岛上伊特鲁里亚人的建筑技术（主要是拱券技术），继承古希腊建筑成就，在建筑形制、技术和艺术方面广泛创新的一种建筑风格。古罗马建筑在公元1～3世纪为极盛时期，达到西方古代建筑的高峰。

特点

古罗马建筑能满足各种复杂的功能要求，主要依靠水平很高的拱券结构，获得宽阔的内部空间。巴拉丁山上的弗莱维王朝宫殿主厅的筒形拱，跨度达29.3米。万神庙穹顶的直径是43.3米。公元1世纪中叶，出现了十字拱，它覆盖方形的建筑空间，把拱顶的重量集中到四角的墩子上，无需连续的承重墙，空间因此更为开敞。把几个十字拱同筒形拱、穹窿组合起来，能够覆盖复杂的内部空间。罗马帝国的皇家浴场就是这种组合的代表作。古罗马城中心广场东边的君士坦丁巴西利卡（310～313）中央用三间十字拱，跨度25.3米，高40米，左右各有三个跨度为23.5米的筒形拱抵抗水平推力，结构水平很高。剧场和角斗场的庞大的观众席，也架在复杂的拱券体系上。

拱券结构得到推广，是因为使用了强度高、施工方便、价格便宜的火山灰混凝土。约在公元前2世纪，这种混凝土成为独立的建筑材料，到公元前1世纪，几乎完全代替石材，用于建筑拱券，也用于筑墙。混凝土表面常用一层方锥形石块或三角形砖保护，再抹一层灰或者贴一层大理石板；也有在混凝土墙体前再砌一道石墙做面层的作法。

木结构技术已有相当水平，能够区别桁架的拉杆和压杆。罗马城图拉真巴西利卡（98～112），木桁架的跨度达到25米。公元1世纪建造的罗马大角斗场，可容5万观众，只用了5～6年时间就建成。它建在一个填没的湖上，地基竟没有明显的沉陷。公元2世纪中叶建造的巴尔贝克太阳神庙，周围45根柱子，每根高19.6米，底径2米，都是用独块花岗石加工而成的。神庙后墙上8米高处，砌有三块各重约500吨的大石块，可见当时起重能力之大。公共浴场一般都有集中供暖设施。从火房出来的热烟和热气流经各个大厅地板下、墙皮内和拱顶里的陶管，散发热量。据维特鲁威《建筑十书》记载，剧场的座位下埋有铜质的共鸣瓮，以改善音质。此外，至迟在公元1世纪中叶，已经在窗上安装几十厘米见方透明度很高的平板玻璃。除了在首都罗马城集中了古罗马建筑的最高成就以外，帝国各地都有水平很高、规模很大的各类建筑物。

影响

古罗马建筑在公元1～3世纪为极盛时期，达到欧洲古代建筑的高峰。公元4世纪下半叶起，古罗马建筑渐趋衰落。15世纪后，经过文艺复兴、古典主义、古典复兴以及19世纪初期法国的“帝国风格”的提倡，古罗马建筑在欧洲重新成为学习的范例。这种现象一直持续到20世纪20～30年代。现存的建筑有：罗马斗兽场、君士坦丁凯旋门、庞贝城、万神庙。

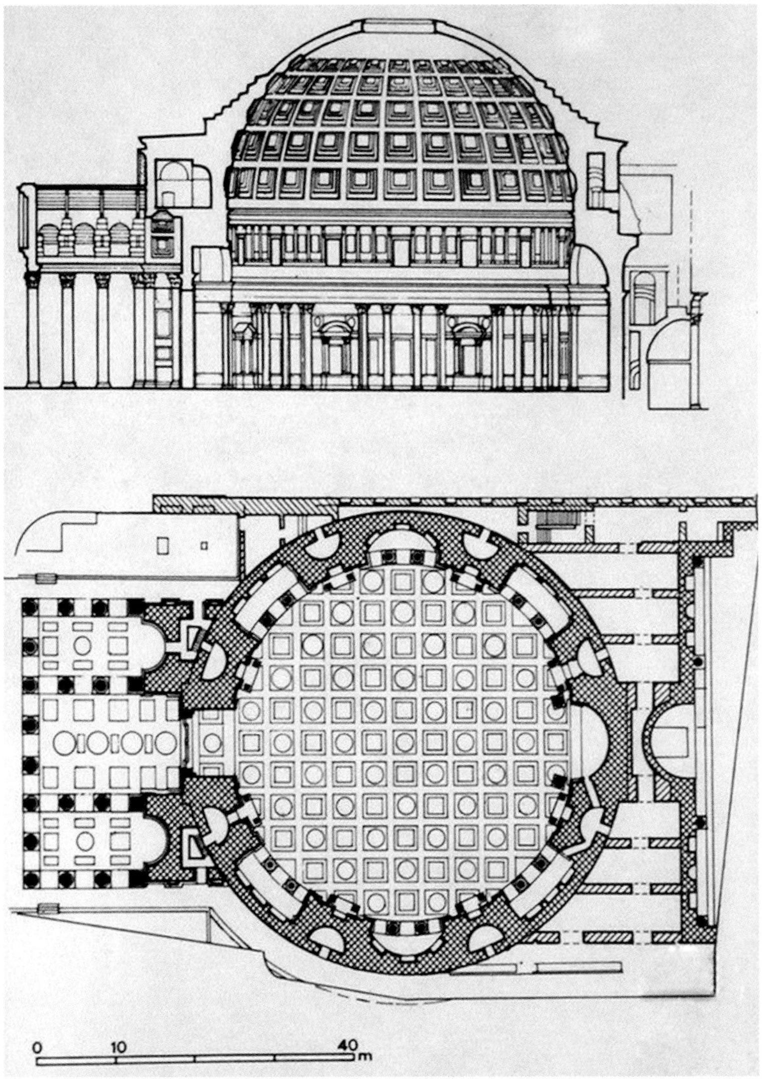
0 10 40 m

M·AGRIPPA·L·F·COS·TERTIVM·FECIT

墙

墙：混凝土墙、抹灰

古罗马建筑的墙体材料主要以砖、石、木、土坯以及运用火山灰制成的混凝土，墙体厚实牢固，给人以厚重感。由于古罗马建筑技术的发展，结合当时社会统治者的现实需要，古罗马人对建筑墙体的研究已经相当成熟，并已经形成自己完整的建筑形制，并把建筑的形体与功能结合得很好。除了功能的要求，古罗马人对建筑艺术的需求也是与生俱来，表现在建筑墙体方面的主要有通过拱券的运用和浮雕的的运用，前者主要用于在墙体上开窗开门，后者主要用于室内的装饰。总之，古罗马建筑墙体不仅技术成熟，功能与艺术成就也是具有相当的高度。

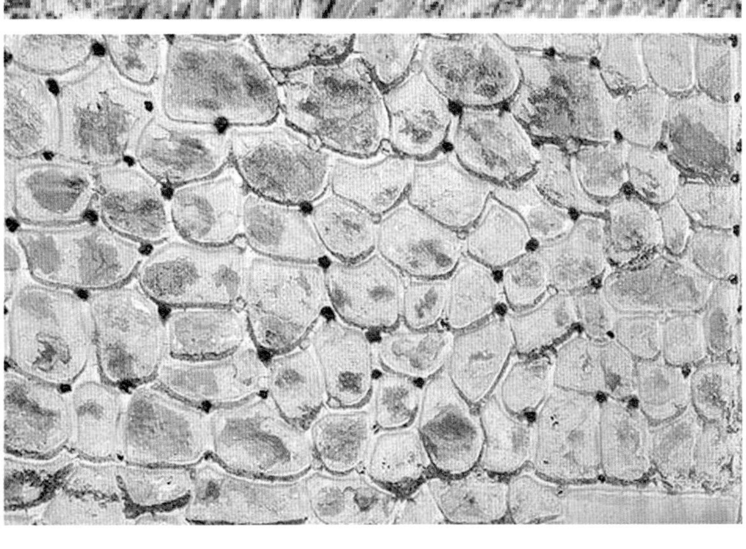

门

门：拱形

在古罗马建筑中，门的形式大多采用拱券的形式结合柱式的特点组合而成，这种形式的组合，不仅外观大气庄重，造型独特优美，而且结构稳固，实用且富于变化。这些拱门的材质多为石材。古罗马建筑的门头多为半圆式和楣梁式，对构成拱形部分砖石的形状和排列进行了艺术的处理使建筑结构性的部件同时具有了装饰性的艺术效果。

古罗马的门除了在教堂和宫廷用到拱形门，在很多纪念性建筑以及其他公共建筑上也被大量地用到，如凯旋门、罗马圆形竞技场等。

柱

柱：叠加柱、组合柱、巨柱

古罗马人继承了古希腊的柱式，但罗马时代的建筑艺术相比古希腊要更丰富多彩，在原有基础上又进行了完善和改进，创立了两种新柱式：塔司干柱式、混合柱式。并制定出了柱式的比例关系，形成了成熟的5种柱式，分别是罗马多立克柱式、罗马爱奥尼柱式、罗马科林斯柱式、塔司干柱式和混合柱式。这些柱式规范的影响非常深远，成为了西方建筑的基本母题，至今仍在被广大建筑师所学习和模仿。

1.罗马多立克柱式：外观跟古希腊多立克柱式相近，但在柱头下端添上一圈环状装饰；柱身下添加了圆环形柱础。柱高与柱径的比例为8：1，整个柱身显得比较粗壮。

2.罗马爱奥尼柱式：柱式与古希腊爱奥尼柱式相同，只是把柱头上两个涡卷间的连接曲线改为水平直线。

3.罗马科林斯柱式：样子与古希腊科林斯柱式一致，柱高跟柱径的比例是10：1，显得纤细高大；柱身上有24条凹槽；柱头部分由两层毛茛叶和涡卷图案组成，涡卷图案成对出现。

4.塔司干柱式：塔司干柱式其实就是去掉柱身齿槽的简化多立克柱式，柱础是较薄的圆环面。柱高跟柱径的比例是7：1，柱身粗壮。

5.混合柱式：这种柱式是将科林斯柱式的顶端与爱奥尼克柱式的涡卷相结合，使形状显得更为复杂、华丽。柱高跟柱径的比例是10：1，显得纤细秀美。

古罗马建筑柱式图解

塔司干柱式　多立克柱式　爱奥尼柱式　科林斯柱式　混合柱式

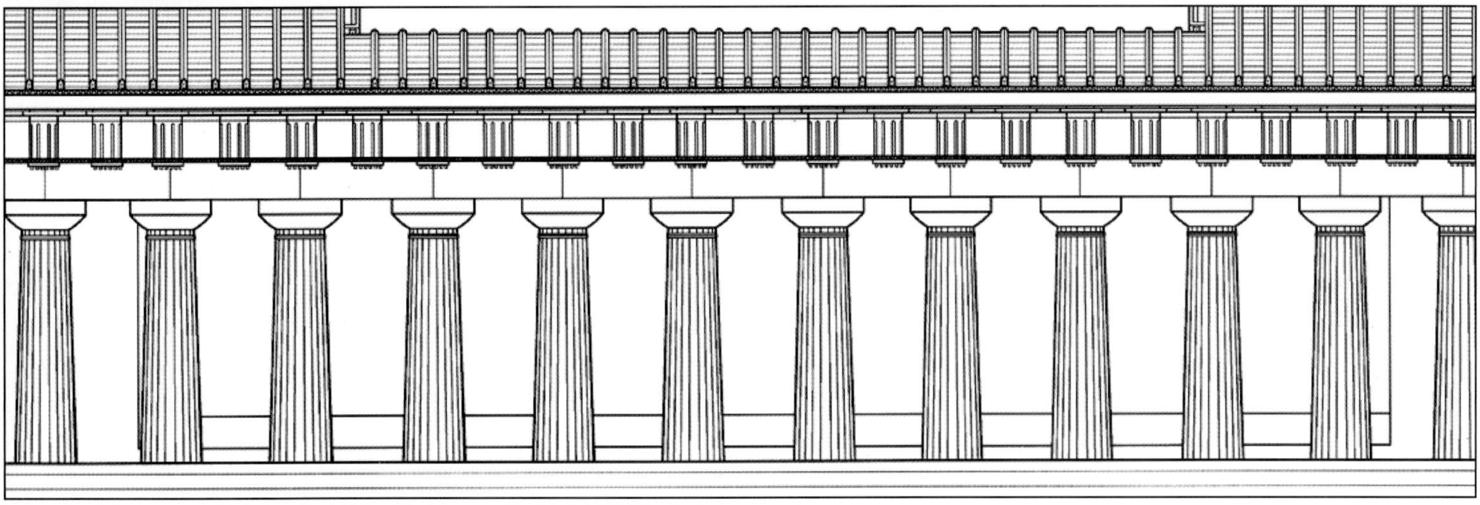

廊

廊：拱廊、柱廊

古罗马建筑除继续使用古希腊的柱廊外，自己还发明了拱廊。古罗马的廊道比较宽敞，整体结构感觉厚重平实，由于使用石材的结构，使得廊道的顶部一般比较简单，并无过多装饰。但古罗马人对柱子的雕琢可谓颇费匠心，不仅在柱头上雕刻不同的花纹，而且在柱身上也是煞费苦心，运用不同的比例，弥补人们在视觉上的差异。同时，在拱廊当中，古罗马人也同样将各种造型发挥到极致，无处不彰显古罗马时代的高贵与典雅、威严与气魄！

拱券

拱券：半圆拱券、筒拱、十字拱

古罗马建筑能满足各种复杂的功能要求，主要依靠水平很高的拱券结构,获得宽阔的内部空间。巴拉丁山上的弗莱维王朝宫殿主厅的筒形拱，跨度达29.3米。万神庙穹顶的直径是43.3米。公元1世纪中叶,出现了十字拱,它覆盖方形的建筑空间，把拱顶的重量集中到四角的墩子上，无需连续的承重墙，空间因此更为开敞。把几个十字拱同筒形拱、穹窿组合起来，能够覆盖复杂的内部空间。罗马帝国的皇家浴场就是这种组合的代表作。古罗马城中心广场东边的君士坦丁巴西利卡(310～313)中央用三间十字拱，跨度25.3米，高40米，左右各有三个跨度为23.5米的筒形拱抵抗水平推力，结构水平很高。剧场和角斗场的庞大的观众席，也架在复杂的拱券体系上。

拱券结构得到推广，是因为使用了强度高、施工方便、价格便宜的火山灰混凝土。约在公元前2世纪，这种混凝土成为独立的建筑材料，到公元前1世纪，几乎完全代替石材，用于建筑拱券，也用于筑墙。混凝土表面常用一层方锥形石块或三角形砖保护，再抹一层灰或者贴一层大理石板；也有在混凝土墙体前再砌一道石墙做面层的做法。

装饰元素

装饰构件： 柱式、连续券

古罗马建筑艺术成就很高。大型建筑物风格雄浑凝重，构图和谐统一，形式多样。罗马人的建筑装饰艺术领域艺术处理的重要性超过了外部体形。而且还发展了古希腊柱式的构图，使之更有适应性。最有意义的是创造出柱式同拱券的组合，如券柱式和连续券，既作结构，又作装饰。帝国各地的凯旋门，大多是券柱式构图。出现了由各种弧线组成的平面、采用拱券结构的集中式建筑物。

GVILELMVS II FRIDERICI III FILIVS GVILELMI MAGNI NEPOS
REGNI XV IN MEMORIAM ET HONOREM PARENTVM
LVM LIMITIS ROMANI SAALABVRGENSE RESTITVIT
IMPERATORI
ROMANORVM
ANTONINO
AVGVSTO PIO
GVILELMVS II
IMPERATOR
GERMANORVM

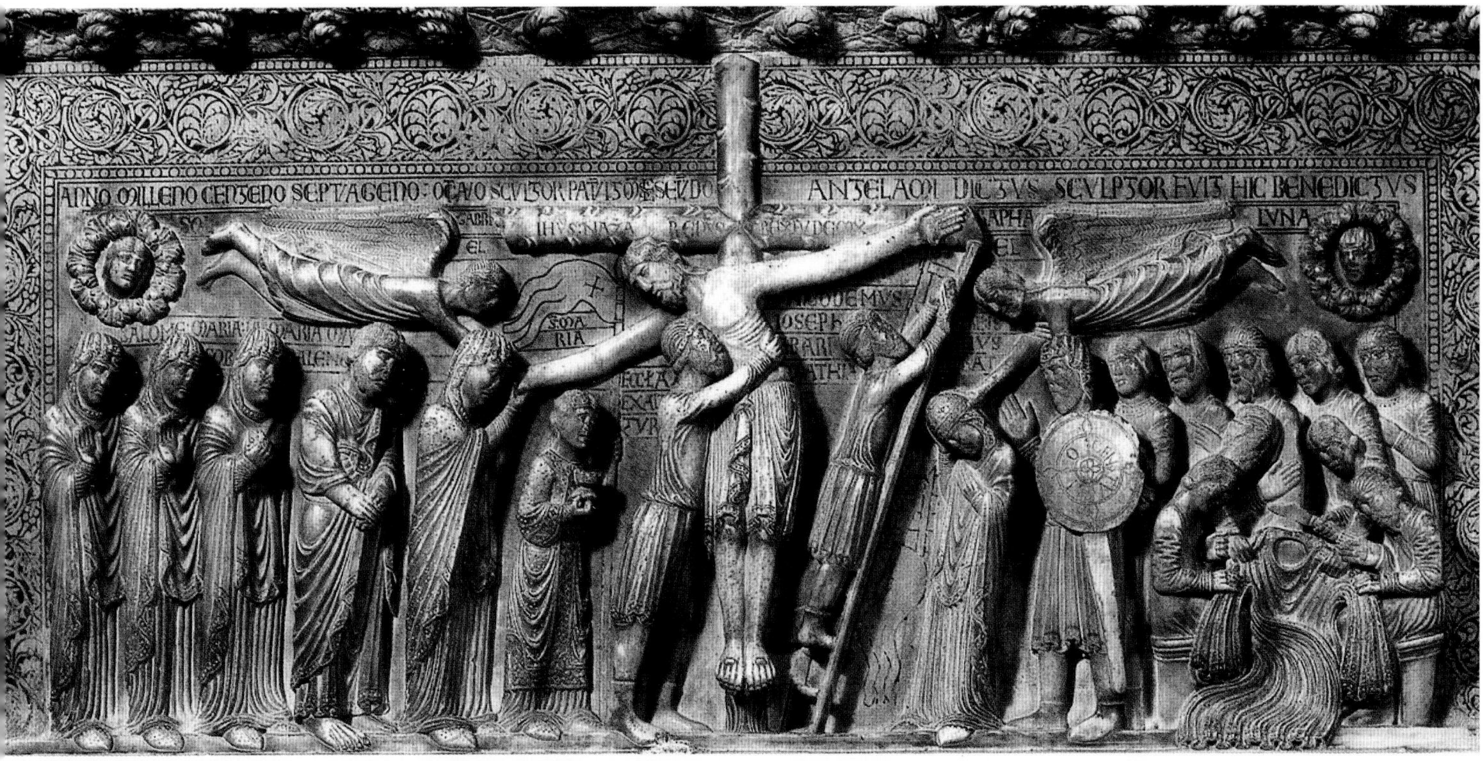
ANTELAMI DICTVS SCVLPTOR FVIT HIC BENEDICTVS
LVNA

DHS LOQVITVR MARIE

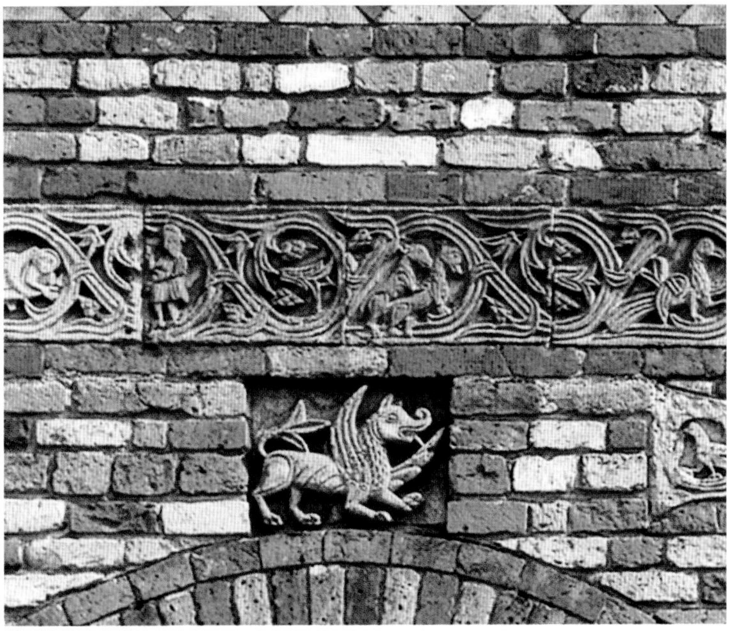

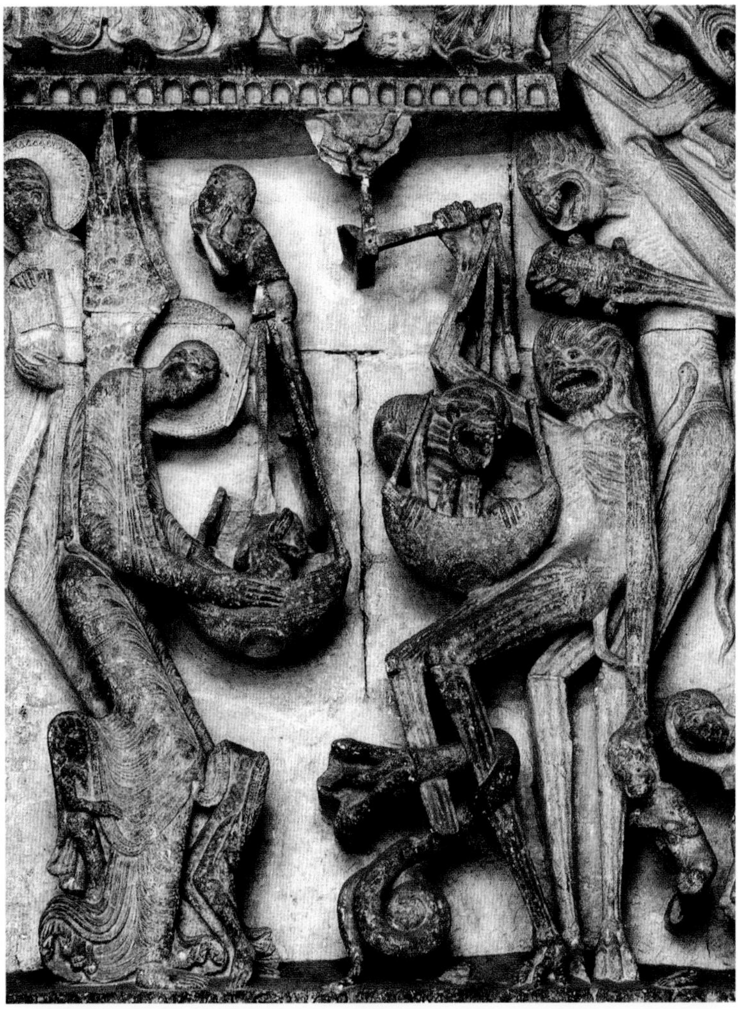

室内空间

室内空间：单一、组合

古罗马建筑能满足各种复杂的功能要求，主要依靠水平很高的拱券结构，获得宽阔的内部空间。古罗马人精通如何建造拱形层顶而不需要柱子支撑的技术，虽然古罗马人不是拱门的首创者，但他们是最早认识拱门用途的人。

古罗马世俗建筑的形制相当成熟，与功能结合得很好。例如，罗马帝国各地的大型剧场，观众席平面呈半圆形，逐排升起，以纵过道为主、横过道为辅。观众按票号从不同的入口、楼梯，到达各区座位。人流不交叉，聚散方便。舞台高起，前有乐池，后面是化妆楼，化妆楼的立面便是舞台的背景，两端向前凸出，形成台口的雏形，已与现代大型演出性建筑物的基本形制相似。古罗马多层公寓常用标准单元。一些公寓底层设商店，楼上住户有阳台。这种形制同现代公寓也大体相似。

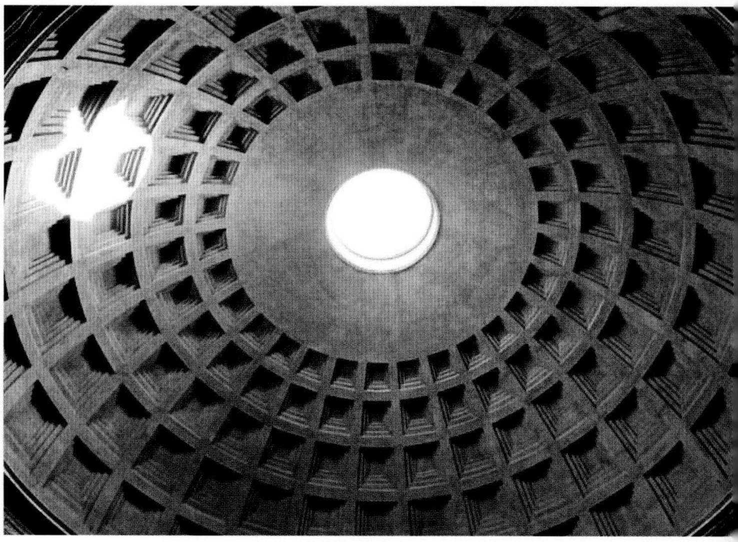

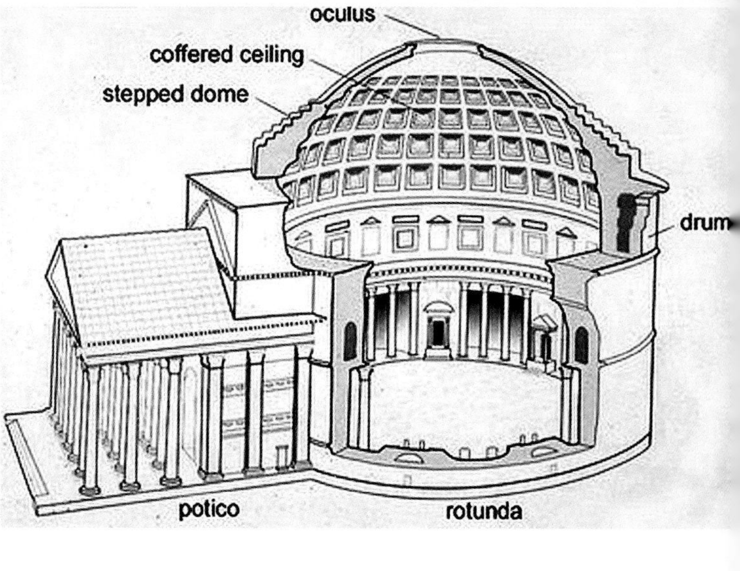
oculus
coffered ceiling
stepped dome
drum
potico
rotunda

BYZANTINE
拜占庭建筑

《欧洲古典建筑细部》

ARCHITECTURE

拜占庭建筑

（时间：公元4～15世纪）

概述

公元395年，以基督教为国教的罗马帝国分裂成东西两个帝国。史称东罗马帝国为拜占庭帝国，其统治延续到15世纪，1453年被土耳其人灭亡。东罗马帝国的版图以巴尔干半岛为中心，包括小亚细亚、地中海东岸和北非、叙利亚、巴勒斯坦、两河流域等，建都君士坦丁堡。拜占庭帝国以古罗马的贵族生活方式和文化为基础。由于贸易往来，使之融合了东方阿拉伯、伊斯兰的文化色彩，形成独自的拜占庭艺术。拜占庭建筑，就是诞生于这一时期的拜占庭帝国的一种建筑文化。从历史发展的角度来看，拜占庭建筑是在继承古罗马建筑文化的基础上发展起来的，同时，由于地理关系，它又汲取了波斯、两河流域、叙利亚等东方文化，形成了自己的建筑风格，并对后来的俄罗斯的教堂建筑、伊斯兰教的清真寺建筑都产生了积极的影响。

特点

拜占庭式建筑的特点是十字架横向与竖向长度差异较小，其交点上为一大型圆拜占庭式建筑穹顶。在方形的平面上，建立覆盖穹顶，并把重量落在四个独立的支柱上，这对欧洲建筑发展是一大贡献。圣索菲亚大教堂是典型拜占庭式建筑。其堂基与罗马式建筑的一样，呈长方形，但是，中央部分房顶由一巨大圆形穹窿和前后各一个半圆形穹窿组合而成，在建筑及室内装饰上，最早的成就表现在基督教堂上，最初也是沿袭巴西利卡式的形制。但到5世纪时，他们创立了一种新的建筑形制，即集中式形制。这种形制的特点是把穹顶支撑在四个或更多的独立支柱上的结构形式，并以帆拱作为中介连接。同时可以使成组的圆顶集合在一起，形成广阔而有变化的新型空间形象。与古罗马的拱顶相比，这是一个巨大的进步。拜占庭的建筑特点归纳起来有四点：第一个特点是屋顶造型，普遍使用“穹窿顶”。第二个特点是整体造型中心突出。在一般的拜占庭建筑中，建筑构图的中心，往往十分突出，那体量既高又大的圆穹顶，往往成为整座建筑的构图中心，围绕这一中心部件，周围又常常有序地设置一些与之协调的小部件。第三个特点是它创造了把穹顶支撑在独立方柱上的结构方法和与之相应的集中式建筑形制。其典型做法是在方形平面的四边发券，在四个券之间砌筑以对角线为直径的穹顶，仿佛一个完整的穹顶在四边被发券切割而成，它的重量完全由四个券承担，从而使内部空间获得了极大的自由。第四个特点是在色彩的使用上，既注意变化，又注意统一，使建筑内部空间与外部立面显得灿烂夺目。

影响

在西欧和中欧，拜占庭建筑风格的主流最终于中世纪让位予罗曼式建筑和哥德式建筑。在东方的阿拉伯世界，拜占庭建筑风格对早期的伊斯兰建筑产生了深远的影响。位于大马士革的倭马亚大清真寺和位于耶路撒冷的圆顶清真寺就可印证此点。其中倭马亚大清真寺的平面图更类似公元6至7世纪时的巴西利卡形式。地砖、墙砖的铺设、几何格局、多拱门、圆顶和多色砖的运用都显示了伊斯兰建筑和摩尔人的建筑在一定程度上受到拜占庭建筑的影响。

在保加利亚、俄罗斯、罗马尼亚、塞尔维亚、乔治亚、乌克兰和其他东正教国家，拜占庭建筑风格持续的时间就更长久了。

拜占庭式建筑没有因为1453年拜占庭帝国灭亡而消失。反之，这种建筑风格的复兴于1840年代起重新开始于欧洲出现，并于19世纪后半期在俄罗斯帝国达到高峰。20世纪最大的拜占庭复兴建筑是位于塞尔维亚的圣萨瓦教堂。

由于在18世纪至20世纪早期，俄罗斯帝国内有着拜占庭建筑风格的复兴，境内至今仍保存有不少带有拜占庭风格的建筑。

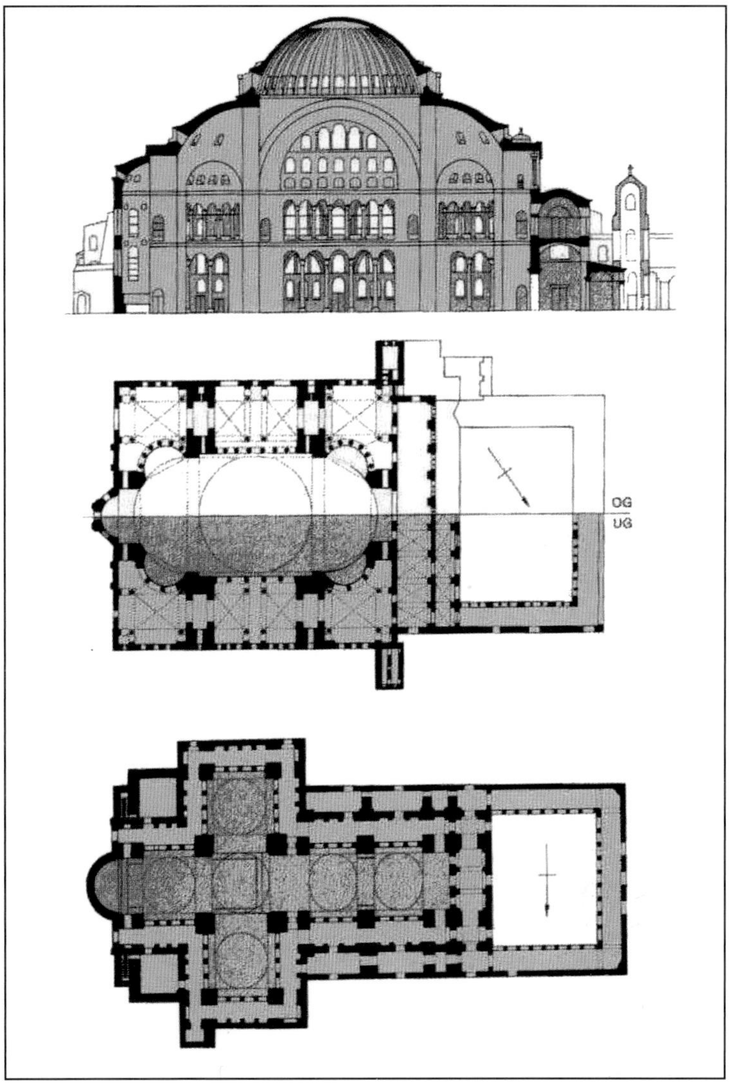
OG
UG

窗

窗：尖拱形、半圆拱

在拜占庭建筑中，窗户顶部多为尖拱或者半圆拱形，开度很高，排列很有规律。窗子的周边很少会有装饰，造型简单，特点鲜明。相比于古罗马时期的窗户，窗子的采光的功能得到了很大的提高，这对于改善室内光线起到了很大的作用。拜占庭建筑的窗户除了采光，另外一个功能就是装饰作用，整齐划一的造型，成批量地出现在同一个建筑、同一个墙面或者几个墙面，不仅给建筑制造了气势，还增添了美感。

门

门：尖拱券、方形、半圆拱

拜占庭建筑的门洞通常开口很高，少有装饰，门洞的顶部一般为方形、半圆拱形或者尖拱券，而且以尖拱券为多见。拜占庭大型建筑在同一个墙面会开多个门洞，称为连开门，门分主次，中间的门为主入口，两侧为出口。门洞的建筑材料以石材为主，偶尔有见砖石混搭的门洞。拜占庭建筑的门洞很高，所以，门会显得非常高大，而且门上通常会包裹有青铜皮面或者铁艺制品，显得古朴且厚重。

廊

廊：列柱长廊

拜占庭建筑的廊通常为柱廊，廊柱的尺寸较之以前各个时期都要小。开始出现连拱券，两个相连拱券的部位有廊柱支撑，连拱券看上去更为美观，和廊柱结合到一起，不仅增加了室内与户外的沟通，而且让墙面的构成形式变得更加丰富灵活。廊的顶部为穹顶，其典型做法是在方形平面的四边发券，在四个券之间砌筑以对角线为直径的穹顶，仿佛一个完整的穹顶在四边被发券切割而成，它的重量完全由四个券承担，从而使内部空间获得了极大的自由。 拜占庭建筑的廊穹顶上通常会有不同形状的装饰图案，色彩丰富，更具观赏性。

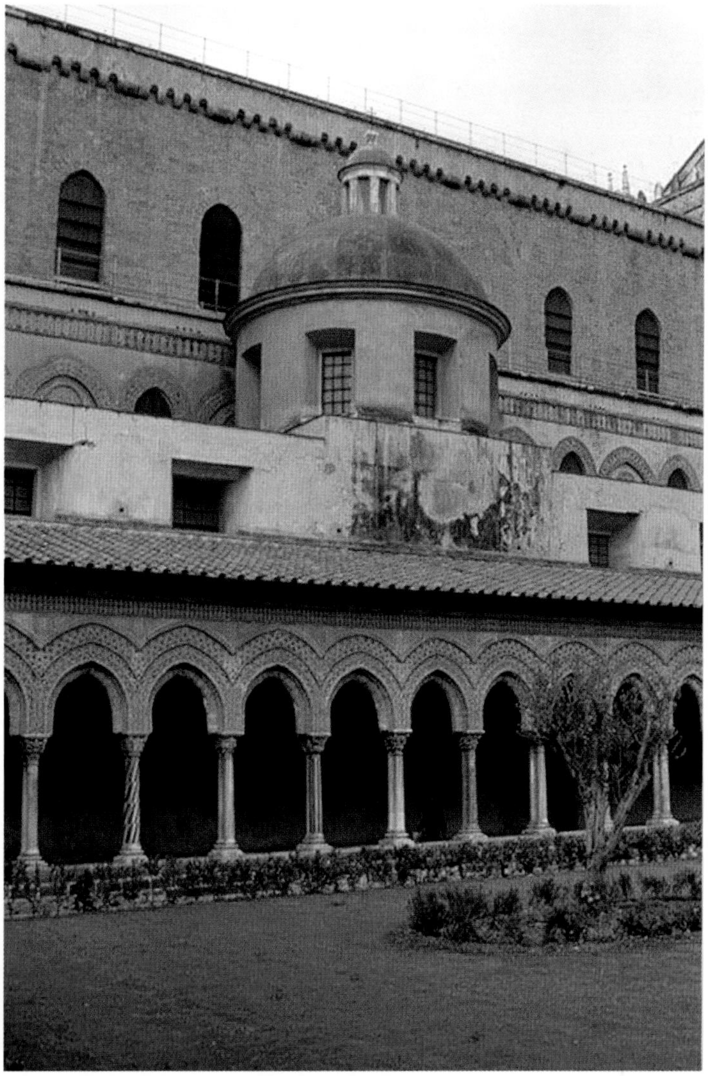

装饰元素

装饰构件：马赛克、彩色大理石、粉画石雕

拜占庭建筑在内部装饰上也极具特点，墙面往往铺帖彩色大理石，拱券和穹顶面不便贴大理石，就用马赛克或粉画。马赛克是用半透明的小块彩色玻璃镶成的。为保持大面积色调的统一，在玻璃马赛克的后面先铺一层底色，最初为蓝色，后来多用金箔做底。玻璃块往往有意略作不同方向的倾斜，造成闪烁的效果。粉画一般常用在规模较小的教堂，墙面抹灰处理后由画师绘制一些宗教题材的彩色灰浆画。拜占庭式建筑柱子与传统的希腊柱式不同，具有拜占庭独特的特点：柱头呈倒方锥形，刻有植物或动物图案，植物多为忍冬草。

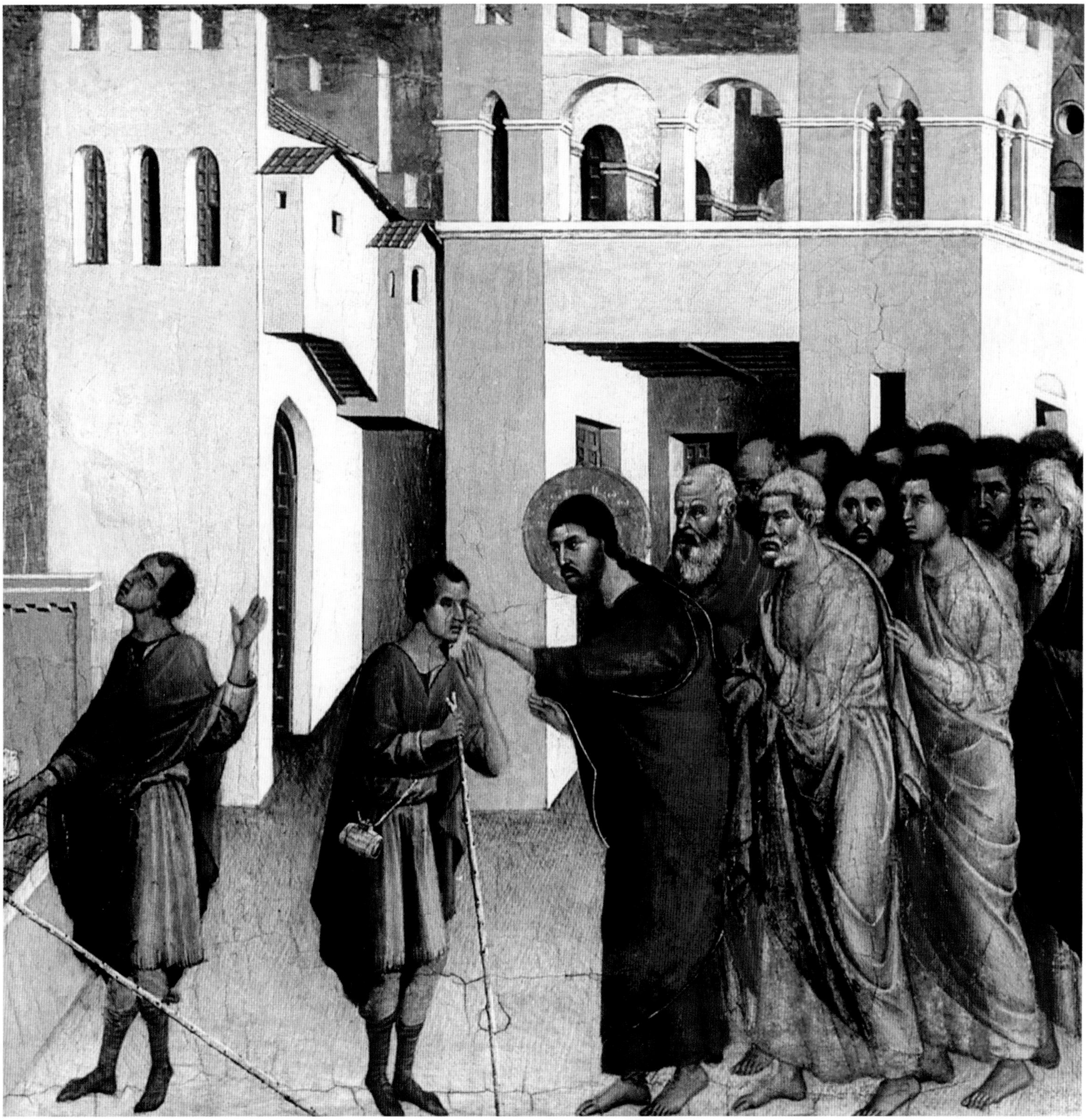

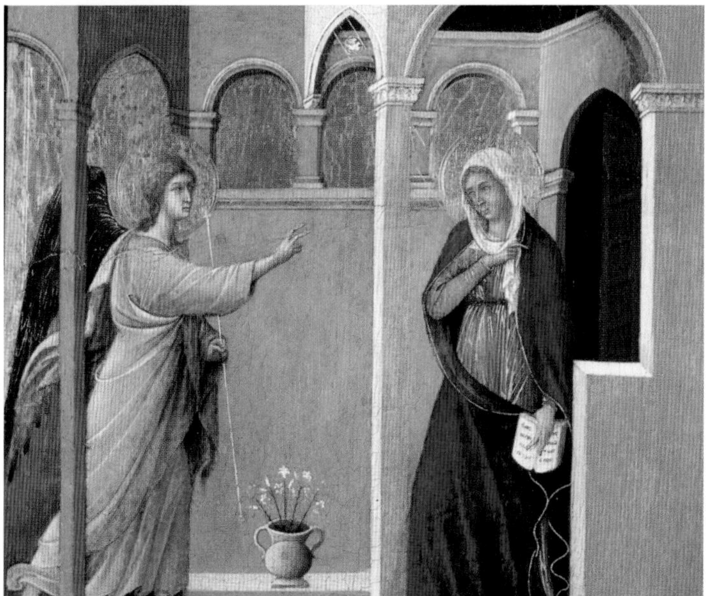

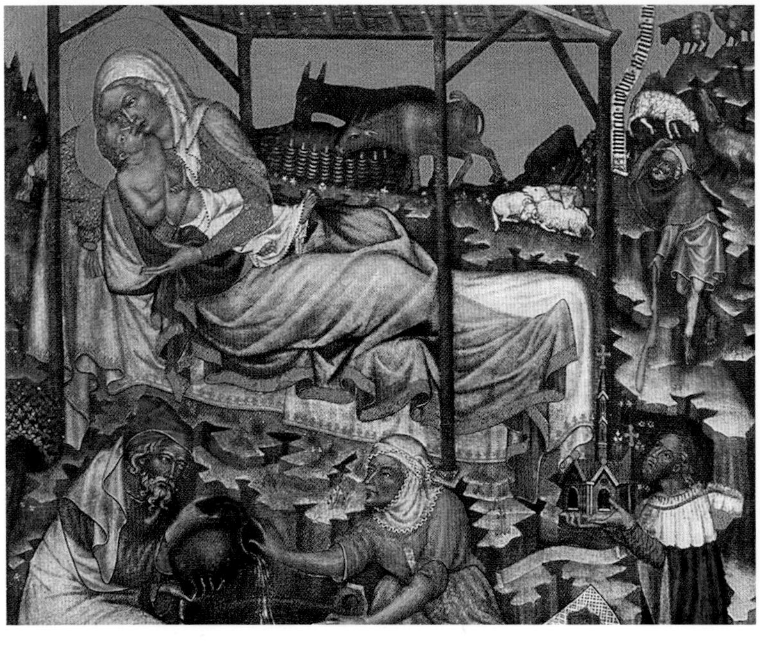

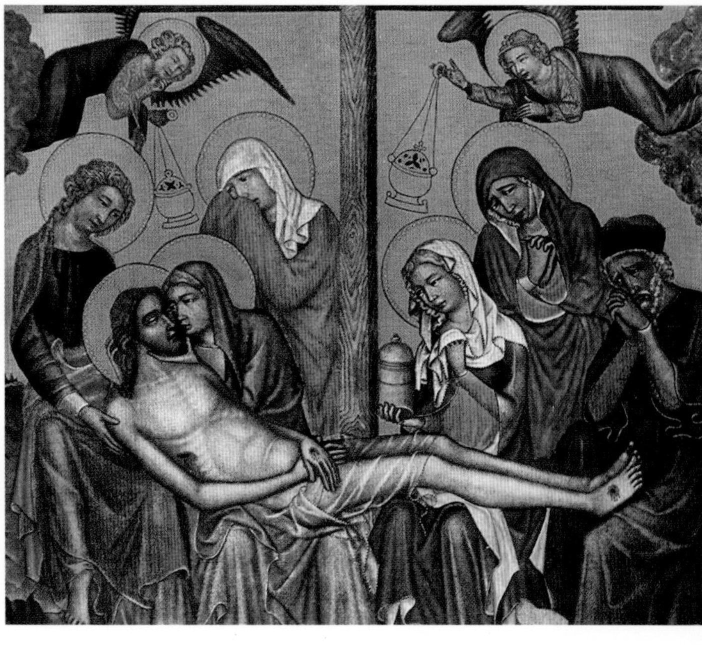

IC
XC

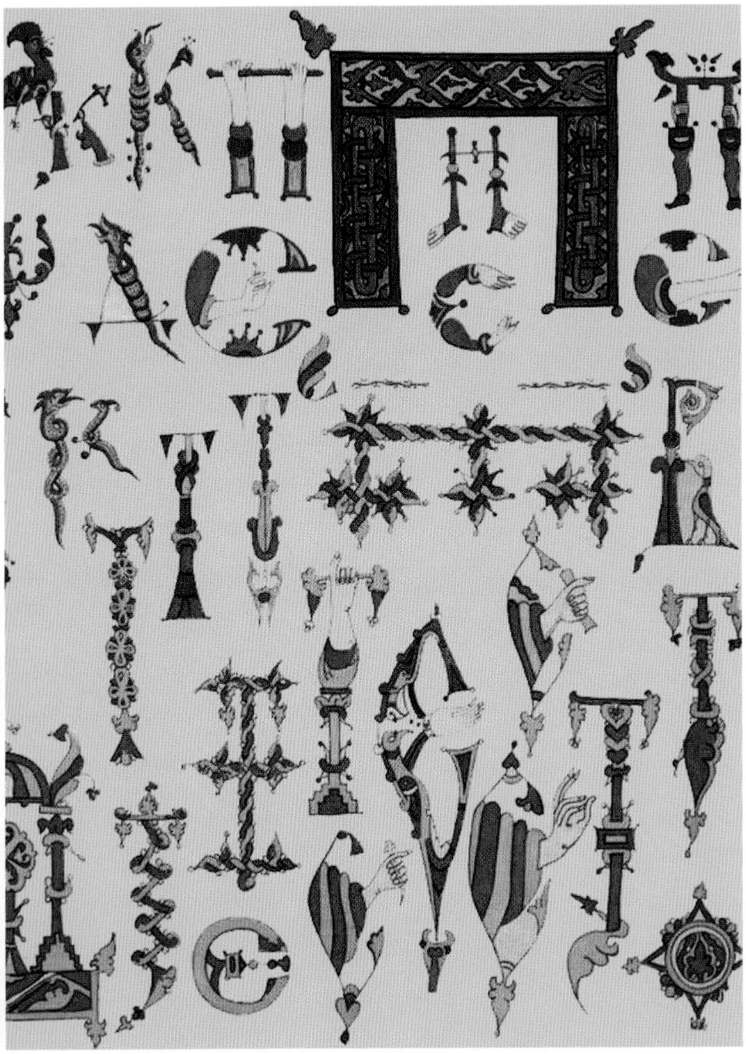

室内空间

室内空间：色彩丰富、开阔

拜占庭建筑创立了一种新的建筑形制，即集中式形制。这种形制的特点是把穹顶支撑在四个或更多的独立支柱上的结构形式，并以帆拱作为中介连接。同时可以使成组的圆顶集合在一起，形成广阔而有变化的新型空间形象。

拜占庭建筑屋顶造型普遍使用“穹窿顶”。穹窿顶可以视作拱的发展。将穹顶沿中心剖开，剖出的平面就是一个拱形。所以穹顶可以看成是一个拱绕着它的垂直中心轴旋转一周而得到。因此穹顶像拱一样有着很大的结构强度，可以不需借助内部结构支撑而达到较大的空间跨度。由于穹窿顶的出现，使拜占庭建筑的室内空间得到了大大的提升，空间更高大、更开阔。因为宗教原因和时代特点，拜占庭建筑的室内空间色彩相对较为丰富，装饰也较为华丽。

ROMANESQUE
罗曼式建筑

《欧洲古典建筑细部》

ARCHITECTURE

罗曼式建筑

（时间：公元10～12世纪）

概述

罗曼式建筑（英文：Romanesque architecture，又译罗马式建筑、罗马风建筑、似罗马建筑）为欧洲中世纪一种以半圆拱为特征的建筑风格，并从12世纪开始逐渐过渡到以尖拱为特征的哥特式建筑。虽然对于这一风格的起源时间有从6世纪到10世纪等不同的提议，尚未达成共识，但其建筑实例遍及欧洲大陆，使其成为自古罗马建筑之后第一种风靡欧洲的建筑形式。在英格兰，这一风格在传统意义上更倾向于指罗曼式建筑。罗曼式建筑兼有西罗马和拜占庭建筑的特色，并因其结实的质量、厚重的墙体、半圆形的拱券、坚固的墩柱、拱形的穹顶、巨大的塔楼以及富于装饰的连拱饰而知名，显得雄浑而庄重。每座建筑有明确、清晰的形式，并且常常采用规则对称的平面，所以在与随后的哥特式建筑比较时，总体上会有一种质朴的形象。尽管有地域特征和材料差异，这一形式仍可以在欧洲各处被识别。

特点

罗马式建筑在欧洲几乎随处可见，且各有其神采特色与地方情调。如果要从这么丰富多彩的建筑世界中，找出罗马式建筑的一系列明显特征，那么必须先找到它们的共同点：

第一点，罗马式建筑的基本典型是教堂，就像神殿之于古希腊艺术。在那个宗教信仰强烈的时代，教堂会成为主要建筑是再自然不过的了，而且教堂还是当时最富有、最有学问、设备最好且无所不在的机构。第二点则是技术处理方面，罗马式建筑的设计与建造都以拱顶为主，以石头的曲线结构来覆盖空间。第三点，罗马式建筑的美学观点，就是建筑物巨大、繁复，强调明暗对照法（让光线从寥若晨星的小孔照射进来），但建筑的装饰则简单粗陋。第四点，艺术形式有着主次关系：建筑居于主导地位，而其他的艺术活动，如绘画、雕塑、镶嵌艺术等，则居于附属地位。第三点与第四点已经成为认识当时建筑的最明显特征，而最关键、特别的则是建筑的屋顶，从屋顶的特点来看，中世纪的匠师与工人们创造出一个建筑体系，或者说，他们创造了一种风格。罗马式半圆形的拱券结构深受基督教宇宙观的影响，罗马式教堂在窗户、门、拱廊上都采取了这种结构，甚至屋顶也是低矮的圆屋顶。这样，整个建筑让我们感到圆拱形的天空一方面与大地紧密地结合为一体，同时又以向上隆起的形式表现出它与现实大地分离。

罗马风建筑还常采用扶壁和肋骨拱来平衡拱顶的横推力，罗马风建筑的另一个创新是钟楼组合到教堂建筑中。从这时起在西方无论是市镇还是乡村，钟塔都是当地最显著的建筑。钟塔的建立在现实意义上是为了召唤信徒礼拜，但是在战争频繁时期也常兼作瞭望塔用；当悠悠的钟声从高高的塔顶上传出时，人们又何尝不觉得这是神在召唤呢？

罗马式建筑的窗户很小而且离地面较高，采光少，里面光线昏暗，使其显示出神秘与超世的意境。门窗上方均为半圆形。在艺术风格上，罗马式教堂表现为堂内占有较大的空间，横厅宽阔、中殿纵深，在外观上构成十字架形。

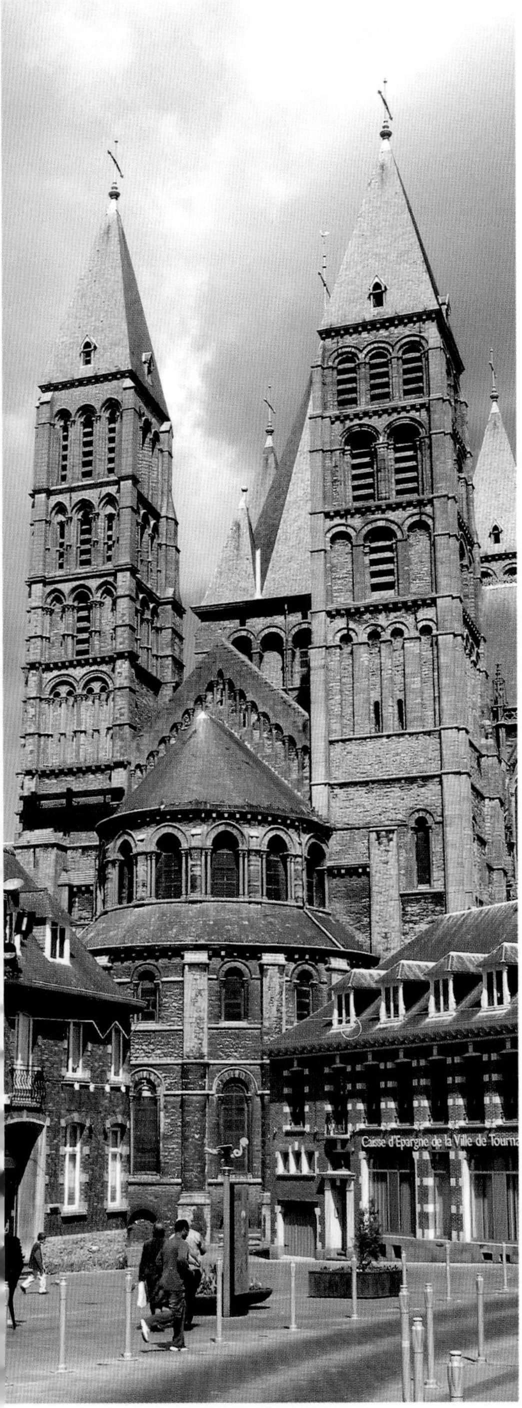
Caisse d'Epargne de la Ville de

墙

墙：厚、双层

罗曼式建筑的墙壁通常厚度很大，开口部分极少并相对较小，因此显得沉重封闭。它们通常为双层壁体、填以碎石。在欧洲各处其建造材料差异很大，取决于当地的石材和建造传统。在意大利、波兰、德国的大部分以及荷兰的一部分地区通常会使用砖块。其他地区可见大量的石灰石，花岗岩和燧石。用于砌筑的石头常常相对较小并且呈不规则的块状，置于厚厚的灰浆中。平整的方石墙并非是这一风格区别性的特色，特别是在早期，但是会主要出现在那些可以获得易于加工的石灰岩的地区。

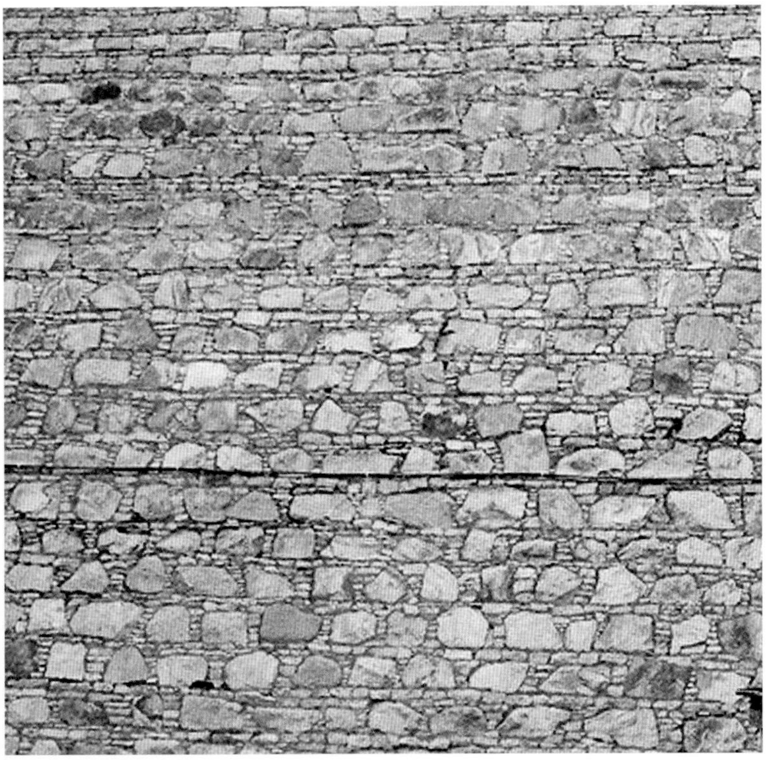

窗

窗：小、高、小开度

罗曼式建筑的窗户很小而且离地面较高，采光少，里面光线昏暗，使其显示出神秘与超世的意境。小型窗户可能在顶部装有坚固的石过梁，大型窗户几乎全部采用了古罗马的半圆形拱券结构。有些窗户洞口用同心多层小圆拱做装饰处理，使整个墙面看起来更生动。

由于当时玻璃属于稀缺物品，所以很多窗户做得很小，并深深镶入墙内，为了解决室内的采光，当时的工匠们在每座教堂的上方都设计有高高的塔尖帮助采光。

门

门：喇叭状

罗曼式建筑的门和古罗马建筑的门有相似之处，也有不同之处，相同之处在于都有使用圆拱，不同之处在于罗曼式建筑使用圆拱的形式更复杂，它是多重圆拱层层递进并配以立柱修饰，似喇叭状，嵌入厚重的墙体之内，而古罗马建筑的门洞则相对简单得多，这个可能取决于不同时期建筑结构和建筑的体量的大小，同时也取决于各个时期欧洲人的审美标准。

主教座堂和教堂的入口周围象征性的装饰也是罗曼式建筑门的一大特色，装饰通常存在于山墙的三角面、门楣、侧壁以及中央间柱。典型的山墙的三角面饰有直接汲取自中世纪福音书烫金封面的庄严基督圣像群像以及四福音书作者的象征，这一入口风格在很多地区出现并延续至哥特时期。

柱

柱：柱头多雕花、柱墩高

柱子是罗曼式建筑结构上一个重要的特色，细长柱和附柱也会应用在结构和装饰上。在罗曼式建筑中的拱常常使用墩柱（也称扶垛）作为支撑。它们用砖石砌筑，剖面呈正方形或矩形，通常会在拱的起脚处以水平线脚表现柱头。有时墩柱上会附有垂直的柱身，在底座层上也可能会有水平线脚。虽然柱墩基本上为矩形，但是常常可以呈现极复杂的形式，如在内壁上设支撑拱的大空心半柱，或由直达拱线脚处的小柱身组成束状。在欧洲大部分地区的罗曼式柱子体形巨大，因为它们支撑着厚实而开窗小的上部墙体，有时会有沉重的拱顶。在结构上最为常见的方法是以称为鼓柱的圆形石柱建造，就像在施派尔主教座堂的地下室中那样。在那些需要真正庞大的柱子的地方，那些柱子会以大块的方砖石建造，中空部分填以碎石。这些没有身份的大柱子有时会点缀有雕刻装饰。

罗曼式柱头仍然保持了古罗马科林斯式柱头形式常规的比例和轮廓。带有叶饰的科林斯风格为很多罗曼式柱头提供了灵感，它们所雕刻的准确性很大程度上取决于原作范例的取得程度，那些位于意大利和法国南部教堂中的柱头会相对于英格兰更为接近古典样式。正是在形象化的柱头上表现出了最佳的独创性。一些以描绘圣经场景、或是野兽与妖怪的手抄本插图为依托，而其他生动的场景则与本地圣徒的传说相关。

无论是出现在教堂、还是在划分城堡内部大空间的拱廊中，罗曼式建筑的一个普遍的特点是墙墩和柱子的交替出现。这种交替最为简单的形式是在每相邻的墙墩中放置一根柱子，有时也会有两到三根柱子的组合，其布置的复杂程度往往来自于柱墩本身的复杂，根据不同的需求选择不同的组合。

DIXIT GLORIA
PASTORES

DIXIT GLORIA
IN EXCELSIS DE

廊

廊：回廊、廊柱

罗曼式建筑的基本典型是教堂，就像神殿之于古希腊艺术。在宗教信仰强烈的时代，教堂会成为主要建筑是再自然不过的了，而且教堂还是当时最富有、最有学问、设备最好且无所不在的机构。回廊则是教堂朝圣不可缺少的部分，回廊上有容纳朝圣者的走道，回廊把圣坛与后殿末端的小礼拜堂分开，小教堂内用来存放"圣物"、"圣骸"，并允许朝圣者在此祈祷，瞻仰圣物。

罗曼式建筑里修道院的回廊的布局形式和教堂的布局形式大体相同，都是由连续十字拱或者是或者是六分拱组成的四边形。只是教堂建筑是在后殿设置回廊，并沿回廊按放射线布置多个小礼拜堂，大大增加了后殿空间。在回廊的两边，有各种样式的装饰柱和连拱券，顶有拱顶和平顶之分，且都比较低矮。

拱券

拱券：半圆拱、筒拱

罗曼式建筑中的拱为半圆形，但也有极少数的建筑例外，例如在法国的欧坦主教座堂和西西里岛的蒙雷阿莱主教座堂尖拱已被广泛使用，人们相信在这些实例中有对伊斯兰建筑的直接模仿。

拱券在罗曼式建筑的屋顶上的运用非常广泛而且形式也多样。如筒形拱顶、穹棱拱顶、肋架拱顶、尖拱顶。拱顶中最简单的一种类型是筒形拱顶（或称筒拱），单一的、拱起的表面从一面墙延伸另一面墙，直到所要覆盖的空间的长度，这是一种具有良好声学特性的建筑式样，有利于教堂圣咏的效果。然而，筒形拱顶通常需要坚固的墙体支撑，或者是墙体上所开设的窗洞极小。穹棱拱顶（或称棱拱、十字拱顶）出现在罗曼式建筑的早期，与肋架拱顶不同，整个拱是一个结构组成。在肋架拱顶中，不仅有横跨拱顶范围内的肋架，而且每个拱顶区域内的对角线上也有肋架，肋架即为结构组成，它们之间的空间可填以轻质的非结构材料。另外一种方式是支高横向的肋架，或者压低对角线方向的肋架从而使拱顶的中心线水平，一如筒形拱顶。尖拱顶在罗曼式建筑的后期，另外一种解决方式被用于协调对角线方向和横向肋架的高度，那就是在水平向和横向上的肋架采用同一直径的拱，并使对角线方向上的肋架交于某一个点上。

装饰元素

装饰构件：浮雕、连拱饰

在罗曼式建筑中，连拱饰是意义最为重要的装饰特色。它呈现有不同的形式，从称为伦巴带的一列小拱，到常常作为英国建筑特色、在伊利主教座堂上所见的种类繁多的浅盲连拱饰，再到在施派尔主教座堂中所创、并在意大利广泛采用的开敞的矮楼廊（就像同在比萨主教座堂和它著名的斜塔中那样）。无论是内和外，拱廊的使用可以起到重大的装饰作用。其次，建筑雕刻也是罗曼式时期极为重要的建筑装饰，虽然很多雕刻装饰有时被用于教堂的内部，但是此类装饰的焦点通常是在正面，尤其是在入口。象征性的雕刻就是在石头上雕刻大型作品和以青铜塑造人物，主要的象征性的装饰尤以主教座堂和教堂的入口周围多见，装饰山墙的三角面、门楣、侧壁以及中央间柱。典型的山墙的三角面饰有直接汲取自中世纪福音书烫金封面的庄严基督圣像群像以及四福音书作者的象征，这一入口风格在很多地区出现并延续至哥特时期。壁画在罗曼式时期应用也很广泛，大块的墙面和简单的曲线形拱顶适合于壁画装饰。不幸的是，这些早期的壁画其中很多毁于潮湿或者是墙面的重新抹灰和上色。现存的其中一个最为完好的方案在法国的圣塞文-梭尔-加尔坦佩教堂。另外，彩色玻璃在罗曼式建筑时期也被很多建筑作为装饰元素使用。

SCS
TO
ME
BAR
LO
VS

SCS
IA CO
BVS

OMNES PERVERSI SIC SVNT IN

DANIE

MVOBIS SCITOTE

室内空间

室内空间：十字平面、宽阔

修道院和主教座堂通常沿用拉丁十字平面。在英格兰，向东扩建出的部分可能较长，然而在意大利却常常较短或不存在，教堂的平面呈T形，有时在翼廊尽端也像东侧一样设有壁龛。在法国的圣弗朗特教堂似乎模仿了威尼斯的圣马可巴西利卡或者拜占庭的圣徒教堂，呈希腊十字平面并设有五个穹顶。在同一地区的昂古莱姆主教座堂采用了无侧廊的拉丁十字平面，在法国更为常见，但仍然以穹顶覆盖。

在剖面上，典型的侧廊式教堂或主教座堂有一个中厅，并在两边均有一条单侧廊，中厅和侧廊通过墩柱或柱子支撑的连拱廊隔开。侧廊的屋顶和外侧的墙体协助承载上部墙体和中厅的拱顶（如果存在）。在侧廊屋顶的上部为有一排窗户的高侧墙，用于中厅的采光。

通常罗曼式教堂的东侧尽端接近半圆，或者像在法国那样有一个被回廊围起的高高的圣坛，或者像在德国和意大利那样另有一个正方形的尽端以突出壁龛。在英格兰，教堂存在正方形尽端的地方可能受到了盎格鲁·撒克逊教堂的影响，彼得伯勒和诺里奇的主教座堂则保留了法国式的圆形尽端。然而在法国，西多会的修士建造了不设壁龛、也没有装饰特色的简单的教堂，他们也在英格兰建造了很多房屋，以边远地区尤为频繁。

GOTHIC
哥特式建筑

《欧洲古典建筑细部》

ARCHITECTURE

哥特式建筑

（时间：公元12～16世纪）

概述

哥特式建筑，又译作歌德式建筑，是位于罗马式建筑和文艺复兴建筑之间的，1140年左右产生于法国的欧洲建筑风格。它由罗马式建筑发展而来，为文艺复兴建筑所继承。哥德式建筑主要用于教堂，也影响到世俗建筑，在中世纪高峰和晚期盛行于欧洲，发源于12世纪的法国，持续至16世纪，哥德式建筑在当代普遍被称作“法国式”（Opus Francigenum），“哥德式”一词则于文艺复兴后期出现，带有贬意。哥德式建筑的整体风格为高耸削瘦，以卓越的建筑技艺表现了神秘、哀婉、崇高的强烈情感，对后世其他艺术均有重大影响。哥德式大教堂等无价建筑艺术已列入联合国教科文组织的世界遗产，其也成了一门关于主教座堂和教堂的研究学问。18世纪，英格兰开始了一连串的哥德复兴，蔓延至19世纪的欧洲，并持续至20世纪，主要影响教会与大学建筑。

哥特式建筑以其高超的技术和艺术成就，在建筑史上占有重要地位。哥特式建筑最明显的建筑风格就是高耸入云的尖顶及窗户上巨大斑斓的玻璃画。最富著名的哥特式建筑有俄罗斯圣母大教堂、意大利米兰大教堂、德国科隆大教堂、英国威斯敏斯特大教堂、法国巴黎圣母院以及凯旋门。

特点

哥特式建筑的特点是尖塔高耸、尖形拱门、大窗户及绘有圣经故事的花窗玻璃。在设计中利用尖肋拱顶、飞扶壁、修长的束柱，营造出轻盈修长的飞天感。新的框架结构以增加支撑顶部的力量，使整个建筑以直升线条、雄伟的外观和教堂内空阔空间，常结合镶着彩色玻璃的长窗，使教堂内产生一种浓厚的宗教气氛。

历史

哥特式建筑继承了罗曼式建筑的很多特点。第一座哥特式教堂是1143年在法国巴黎建成的圣丹尼斯教堂，其四尖券巧妙地解决了各拱间的肋架拱顶结构问题，有大面积的花窗玻璃，为以后许多教堂所效法。1144年，在庆祝圣丹尼斯重修完成举行的典礼上，各国的主教们吃惊地发现这种建筑形式有着不可抵挡的魅力。于是25年之后，凡有代表参加过庆典的地区都出现了哥特式教堂。12世纪末到13世纪中叶，是哥特式建筑发展的经典时期，当时创作产生许多的经典建筑作品。13世纪晚期，辐射状哥特式和火焰哥特式开始发展。直到16世纪被文艺复兴风格替代。1820年，哥特式装饰风格复兴，主要表现在室内装饰上。

MARIAE
NASCENTI

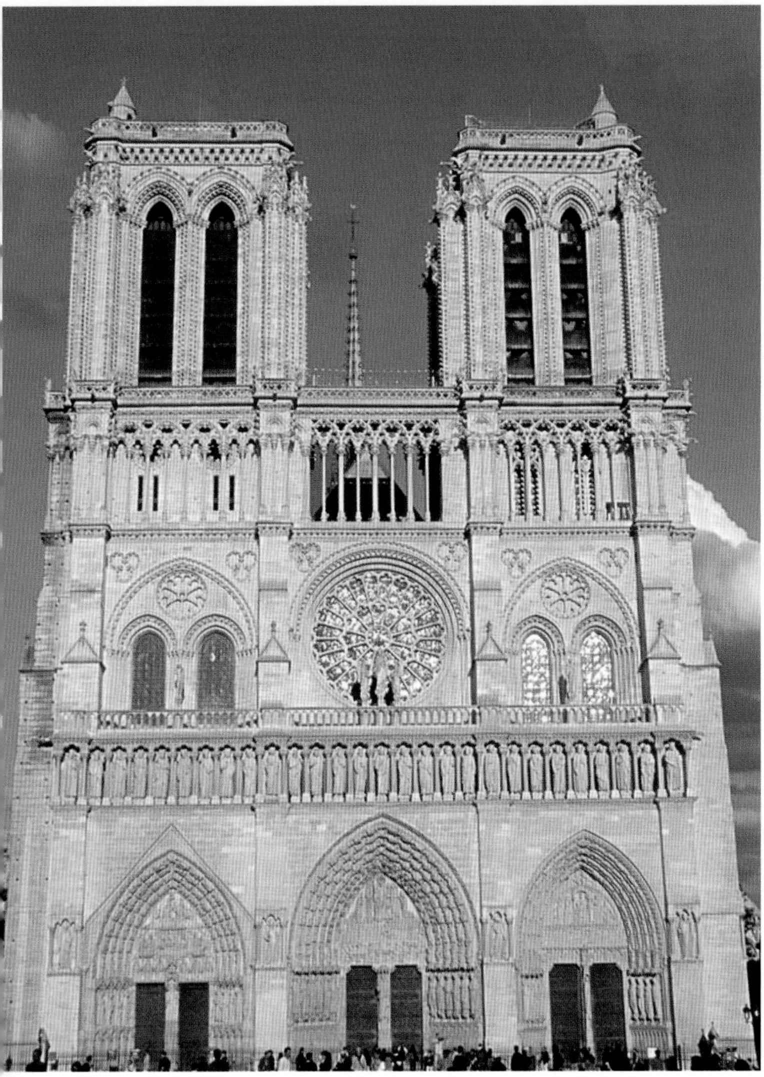

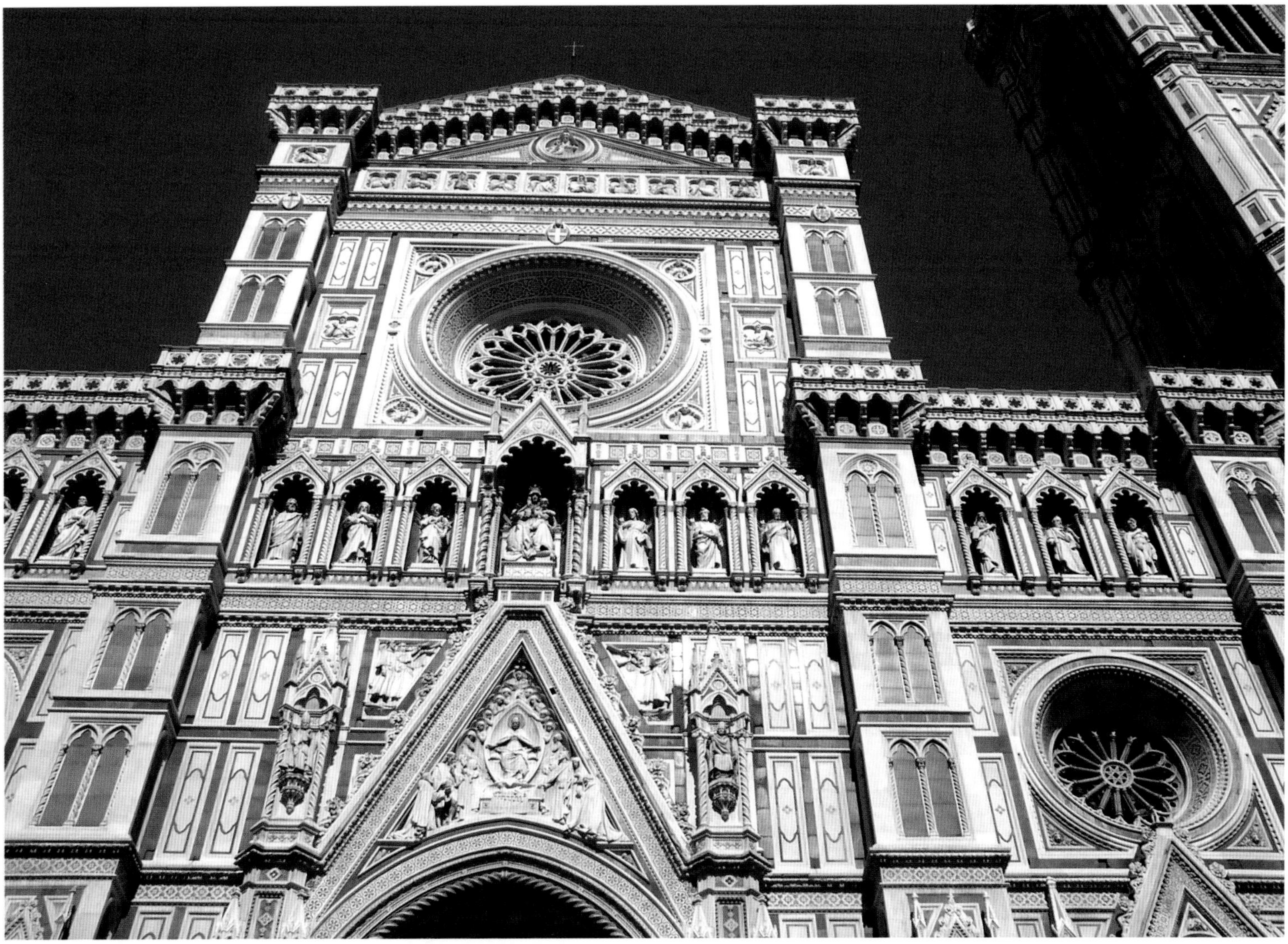

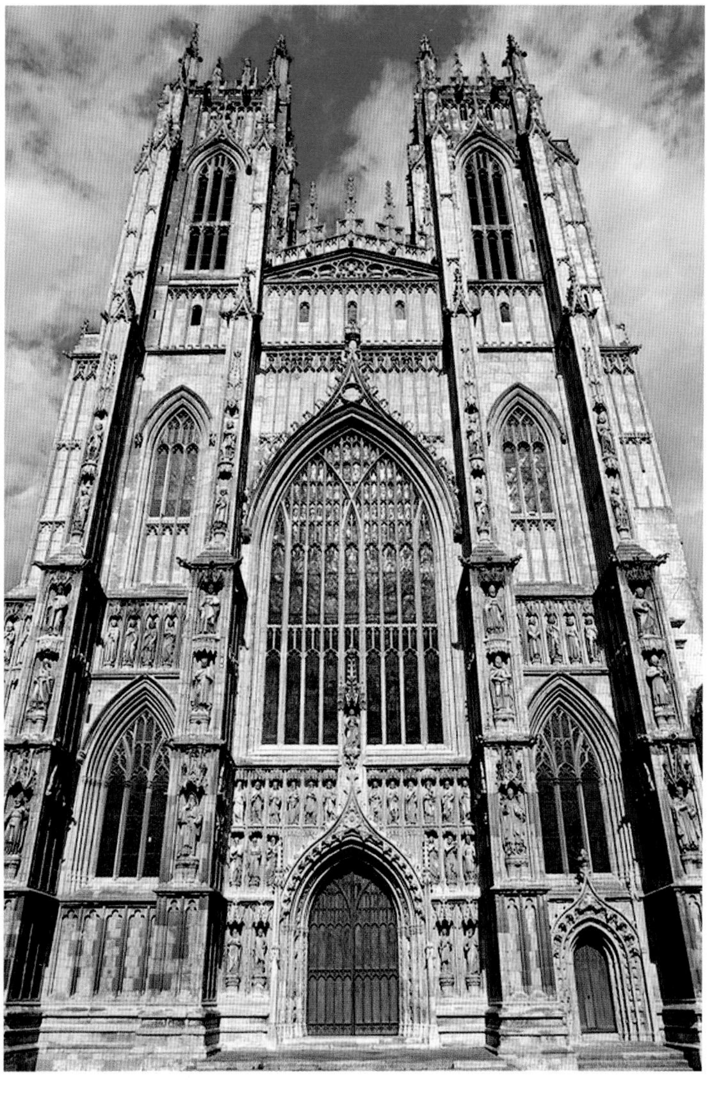

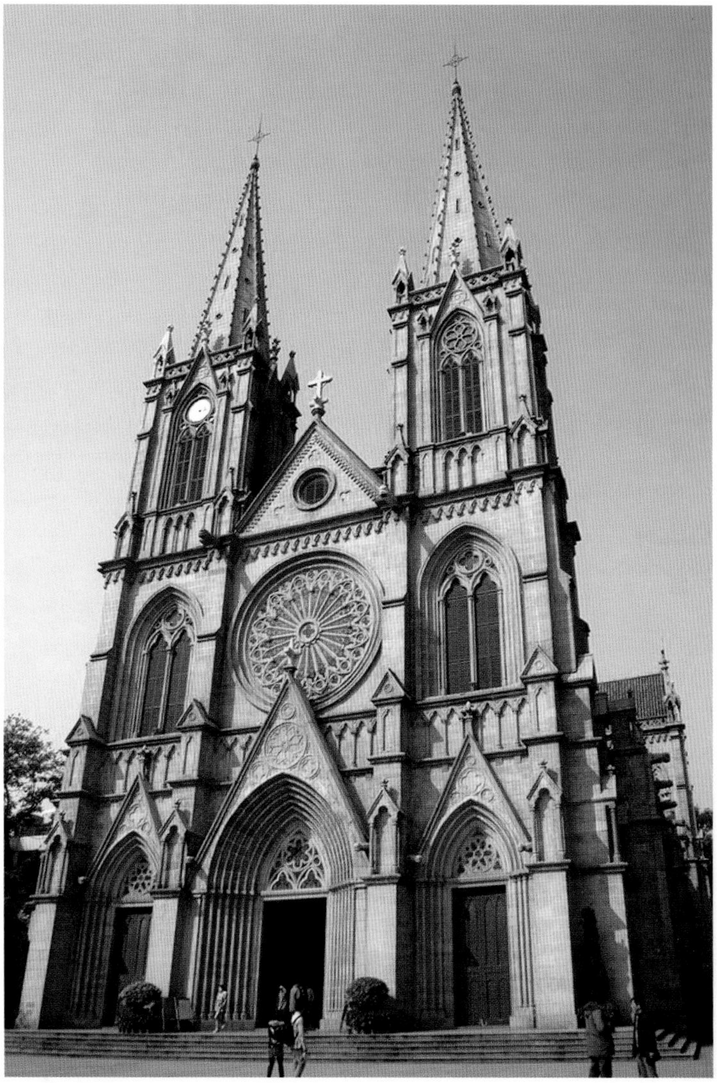

墙

墙：高、开窗多

哥特式建筑的墙体在当时建筑过程当中已经不再是主角了，取而代之的却是柱子和雕塑，墙体的作用在哥特式建筑当中已经由之前的承重功能逐渐蜕变为承重为次要，辅助柱子围合建筑空间则成为其主要功能，这种功能的转移，已经接近现代建筑墙体的基本功能，这不能不说是哥特式建筑的一个巨大进步。

哥特式建筑的墙体材料主要是砖、石、水泥沙灰等，而且这时作为墙体主要材料的石块经过加工也已经相当规整了。因此我们所能看到的大多数哥特式建筑的墙体都相当的平整。

法国哥特时期的世俗建筑数量很大，与哥特式教堂的结构和形式很不一样。由于连年战争，城市的防卫性很强。城堡石墙厚实，碉堡林立，外形森严。但城墙限制了城市的发展，城内嘈杂拥挤，居住条件很差。多层的市民住所紧贴狭窄的街道两旁，山墙面街。二层开始出挑以扩大空间，一层通常是作坊或店铺。结构多是木框架，往往外露形成漂亮的图案，颇饶生趣。富人邸宅、市政厅、同业公会等则多用砖石建造，采用哥特式教堂的许多装饰手法。

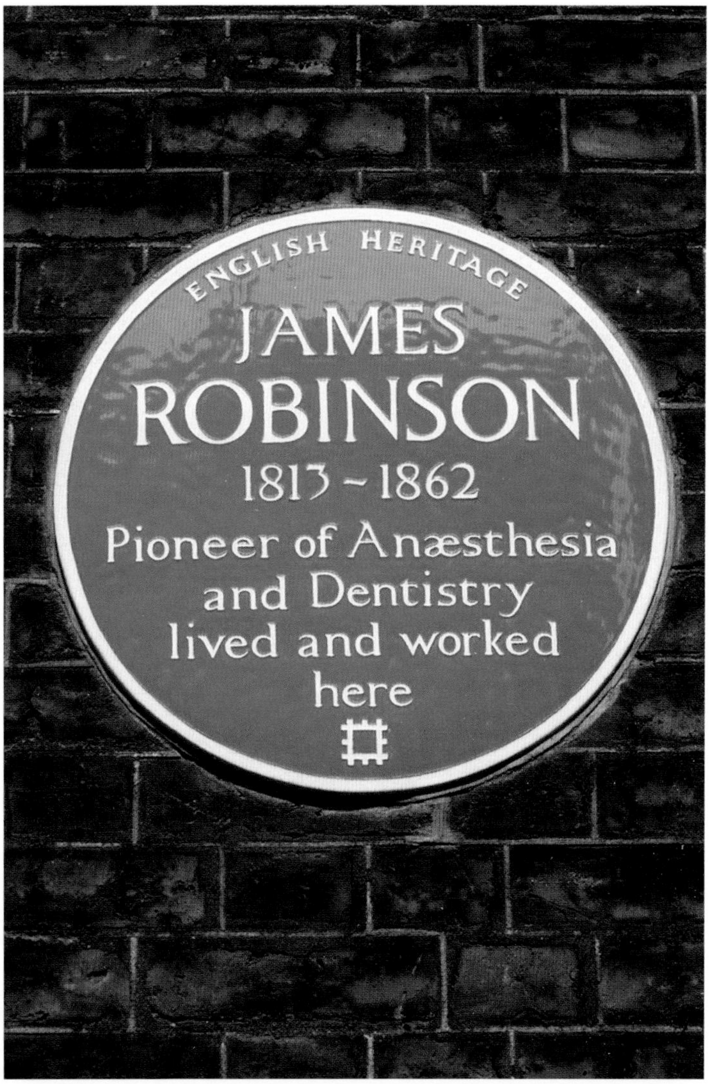
ENGLISH HERITAGE
JAMES
ROBINSON
1813~1862
Pioneer of Anæsthesia
and Dentistry
lived and worked
here

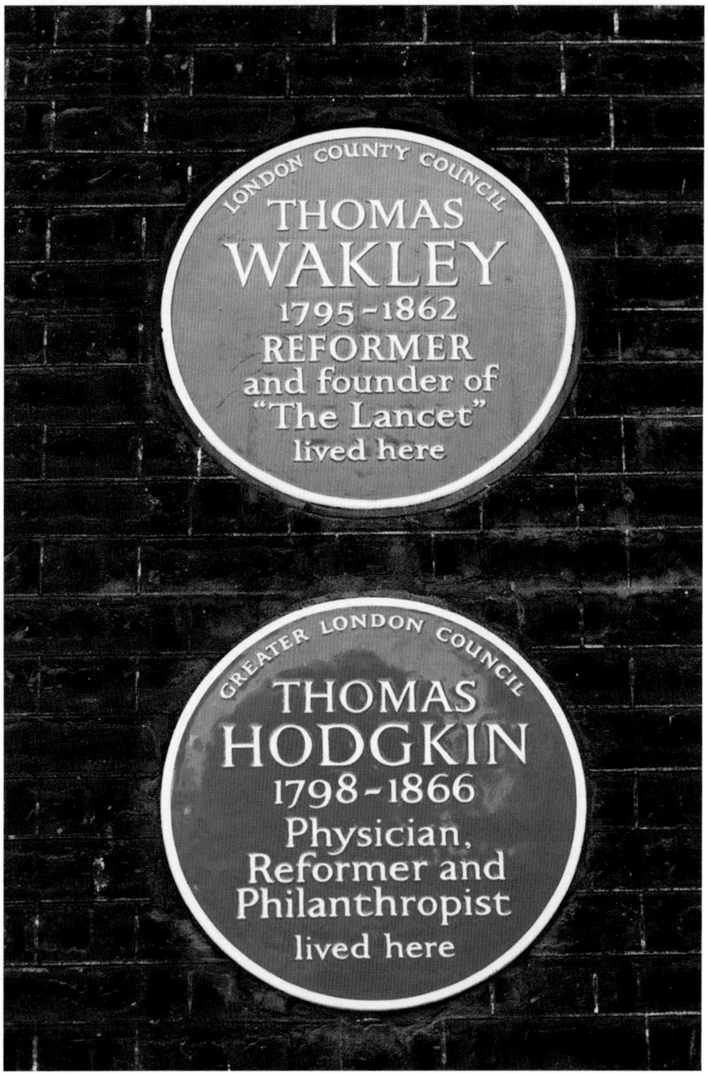
LONDON COUNTY COUNCIL
THOMAS
WAKLEY
1795~1862
REFORMER
and founder of
"The Lancet"
lived here
GREATER LONDON COUNCIL
THOMAS
HODGKIN
1798~1866
Physician,
Reformer and
Philanthropist
lived here

窗

窗：开度大、装饰功能

哥特式建筑逐渐取消了台廊、楼廊，增加侧廊窗户的面积，直至整个教堂采用大面积排窗。这些窗户既高且大，几乎承担了墙体的功能。并应用了从阿拉伯国家学得的彩色玻璃工艺，拼组成一幅幅五颜六色的宗教故事，起到了向不识字的民众宣传教义的作用，也具有很高的艺术成就。花窗玻璃以红、蓝二色为主，蓝色象征天国，红色象征基督的鲜血。窗棂的构造工艺十分精巧繁复。细长的窗户被称为“柳叶窗”，圆形的则被称为“玫瑰窗”。 花窗玻璃造就了教堂内部神秘灿烂的景象，从而改变了罗曼式建筑因采光不足而沉闷压抑的感觉，并表达了人们向往天国的内心理想。

SING
UNTO
THE
LORD

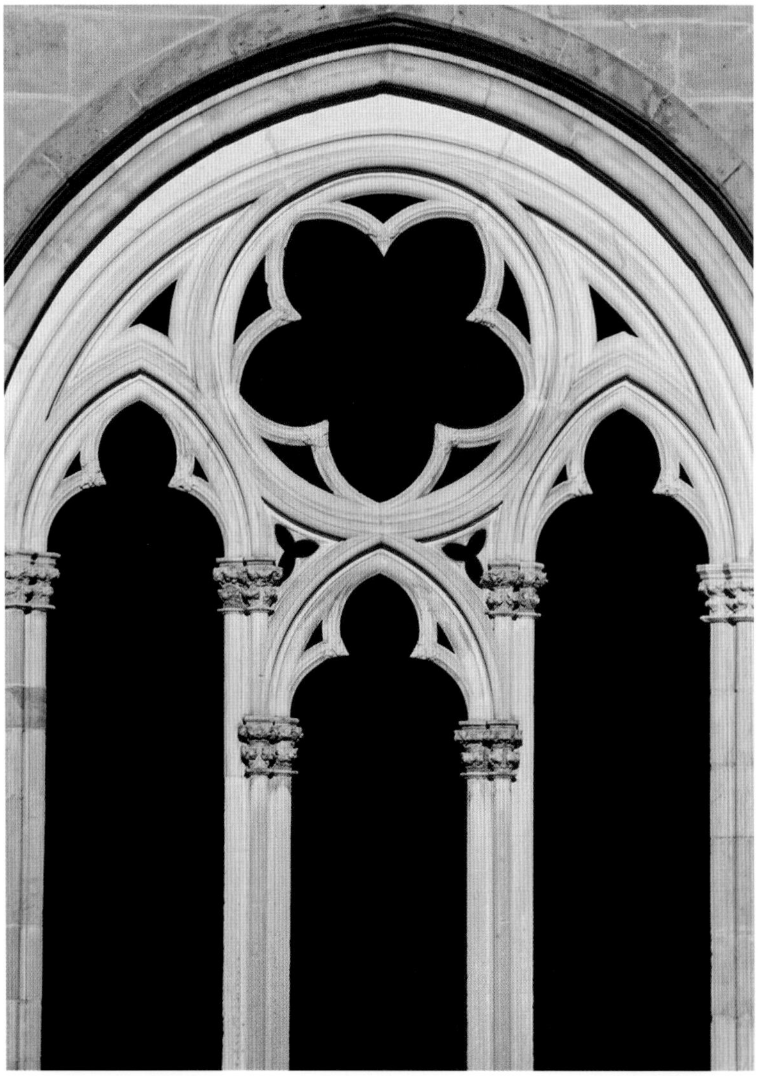

MARIAE
NASCENTI

门

门：尖拱、喇叭状

哥特式建筑的门使用的是尖拱顶，拱券层层往内推进，并有大量浮雕，对于即将走入大门的人，仿佛有着很强烈的吸引力。

哥特式建筑的门洞开度比以往其他时期不同风格建筑的开度更大、更高。因而在使用装饰上选择更多，除了层层推进的尖拱、神态各异的浮雕，还有丰富多彩的彩绘等其它装饰形式。而且哥特式建筑一般很少在一个方位只开一个门洞，主要表现在教堂和修道院，一般是三门连开，门和门相连，拱和拱相接，而且门和门之间形成鲜明的主次关系，左右对称。

柱

柱：束柱

在哥特式建筑里，柱子不再是简单的圆形，多根柱子合在一起，强调了垂直的线条，更加衬托了空间的高耸峻峭。不仅如此，在哥特式建筑里，柱子不仅仅只有承重功能，同时它还负担着连接、关联各部，装饰空间等用途。随着中世纪建筑技术的发展，柱子在建筑里的功能越来越重要，因此也成就了哥特式及建筑的空间形式，使之更加丰富多彩，更加富于变化。

廊

廊：拱廊、尖勒拱

哥特式建筑的廊道和罗曼式建筑的廊道相似，除了拱的形式不同，功能基本一致。哥特式建筑首先运用了尖拱带来的自由发挥空间，尖拱有几种不同的曲率，即使宽度不同，也能维持原来的高度，所以拱廊可以有几根柱子靠得很近，拱顶仍然能够等高。连拱也可以很低矮。也有拱廊相连的哥特式回廊，而且回廊的装饰十分精致，支撑两边连续拱券的柱子既有细长的圆柱，也有较矮的方柱，既有单柱支撑单边拱券，也有双柱或两个以上的束柱支撑，到顶部形成了勒拱顶。

拱券

拱券：尖拱、尖券

从罗曼式建筑的圆筒拱顶普遍改为尖肋拱顶，作用是将所有的内部空间以骨架券链接为整体。推力作用于四个拱底石上，这样拱顶的高度和跨度不再受限制，可以建得又大又高。并且尖肋拱顶也具有“向上”的视觉暗示。
哥特式教堂的结构体系由石头的骨架券和飞扶壁组成。其基本单元是在一个正方形或矩形平面四角的柱子上做双圆心骨架尖券，四边和对角线上各一道，屋面石板架在券上，形成拱顶。采用这种方式，可以在不同跨度上作出矢高相同的券，拱顶重量轻，交线分明，减少了券脚的推力，简化了施工。飞扶壁由侧厅外面的柱墩发券，平衡中厅拱脚的侧推力。为了增加稳定性，常在柱墩上砌尖塔。由于采用了尖券、尖拱和飞扶壁，哥特式教堂的内部空间高旷、单纯、统一。装饰细部如华盖、壁龛等也都用尖券作主题，建筑风格与结构手法形成一个有机的整体。

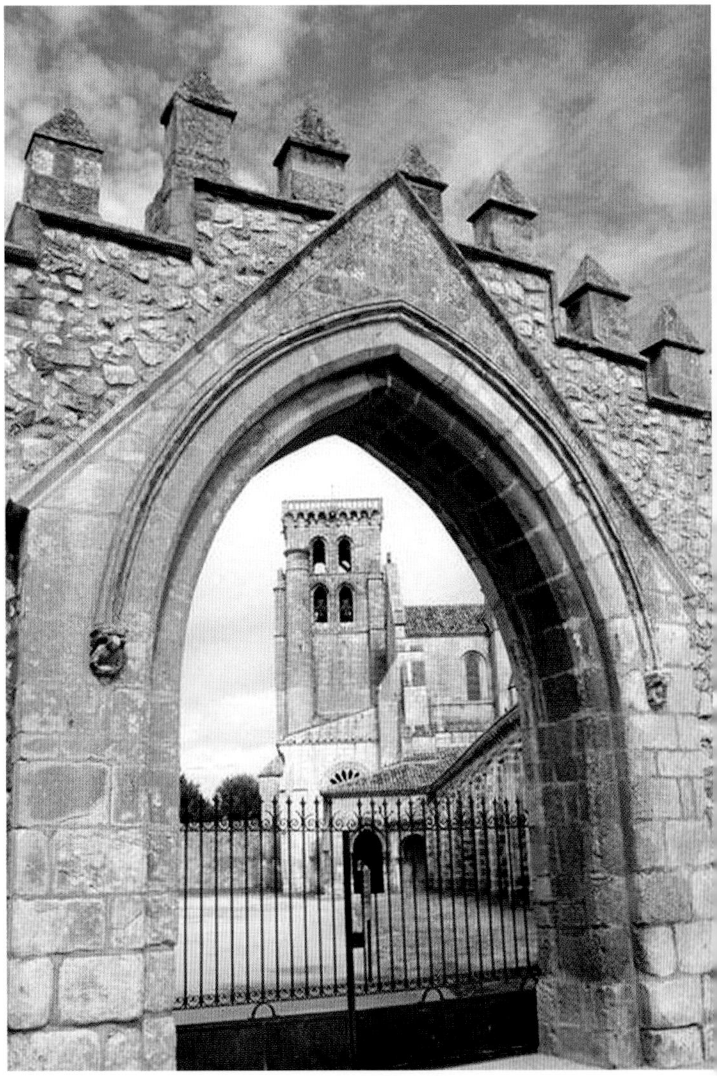

装饰元素

装饰构件：浮雕、绘画、尖拱尖券、彩绘玻璃

哥特式建筑的装饰除了雕塑、绘画，相对之前的建筑有了一个鲜明的特色，就是彩绘玻璃的大量运用。哥德式建筑主要用于教堂，教堂采用大面积排窗，这为彩绘玻璃的运用创造了机会，欧洲的彩色玻璃工艺源于阿拉伯国家，教堂的窗户上用五颜六色的彩绘玻璃拼组成一幅幅宗教故事，起到了向不识字的民众宣传教义的作用，也具有很高的艺术成就。当然，其它的装饰形式在哥特式建筑里也有其不同的特点。如15世纪以后，德国的石作技巧达到了高峰。石雕窗棂刀法纯熟，精致华美。有时两层图案不同的石刻窗花重叠在一起，玲珑剔透。建筑内部的装饰小品，也不乏精美的杰作。

DEO OPTIMO MAXIMO

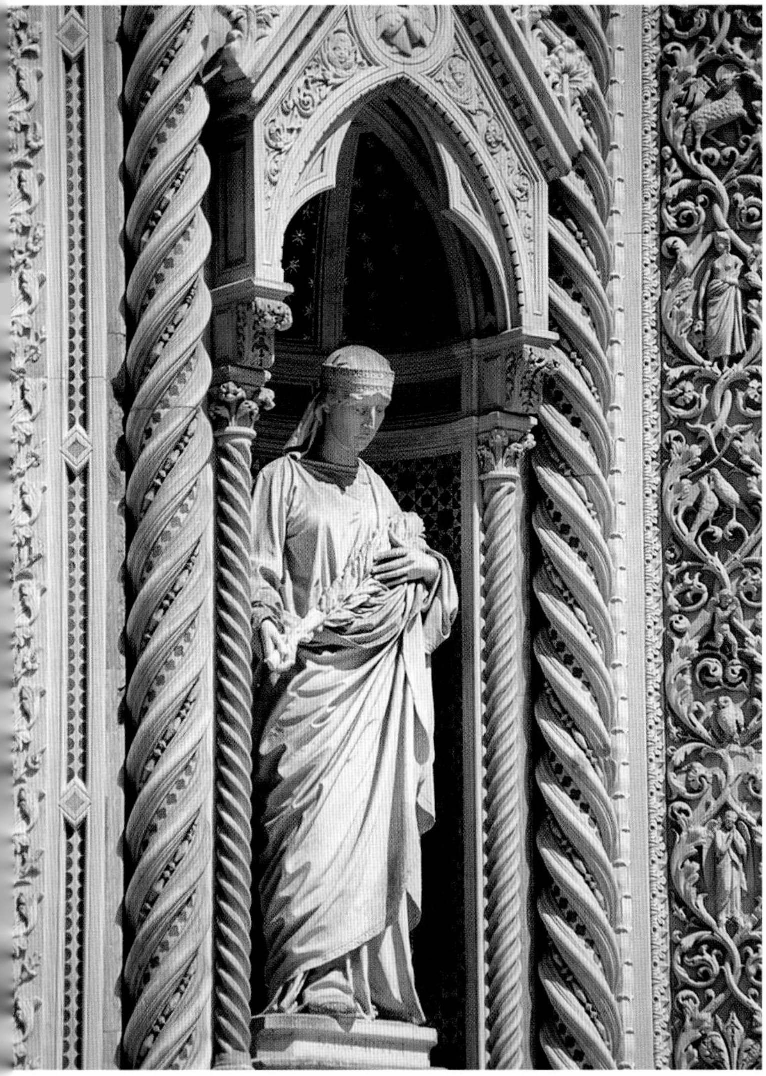

EUGENIUS P. IV.
TEMPLUM DICAVIT

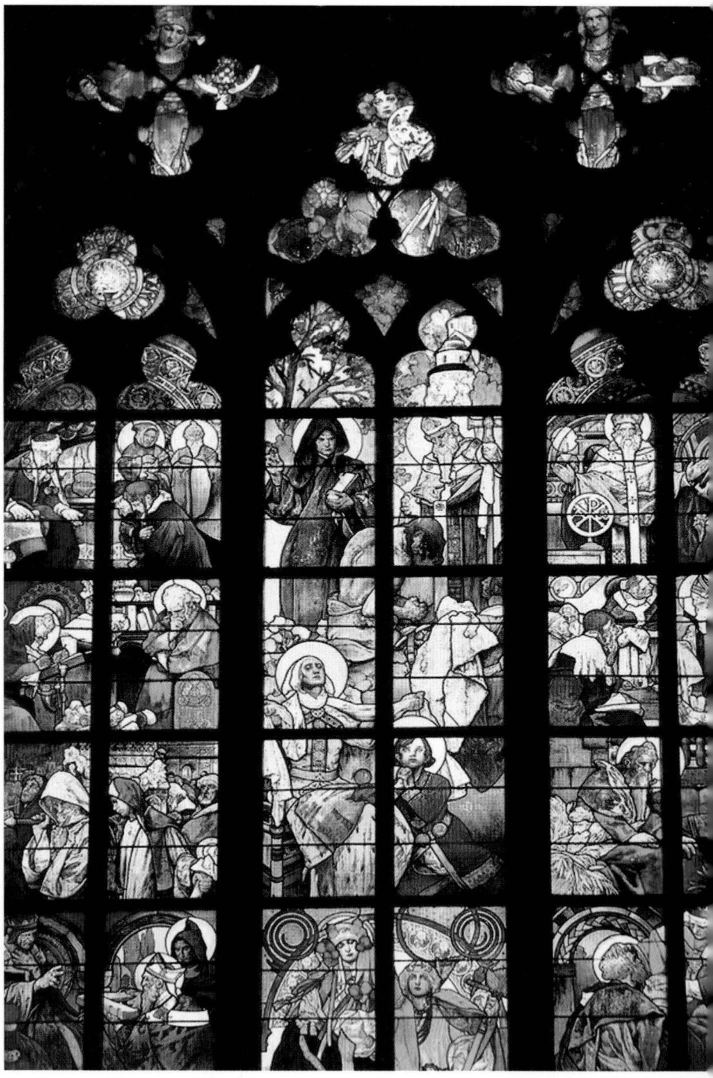

ACOB AVTEMGENV

NEQUID PEREAT
Marcus
Lucas

EPISCOPV
CONFESSOR

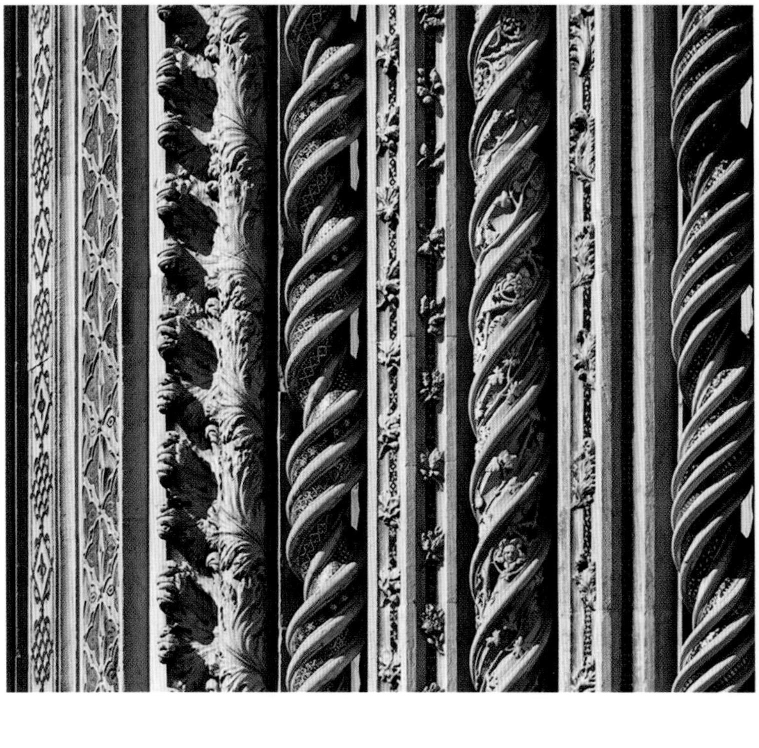

室内空间

室内空间：高、狭长

哥特式建筑继承了罗曼式建筑的很多特点，如扶壁、十字平面等。其主要表现为哥特式教堂建筑，特点是尖塔高耸，在设计中利用十字拱、飞券、修长的立柱，以及新的框架结构以增加支撑顶部的力量，使整个建筑以直升线条、雄伟的外观和教堂内空阔空间，再结合镶着彩色玻璃的长窗，使教堂内产生一种浓厚的宗教气氛。教堂的平面仍基本为拉丁十字形，但其西端门的两侧增加一对高塔。

哥特式教堂的结构体系由石头的骨架券和飞扶壁组成。其基本单元是在一个正方形或矩形平面四角的柱子上做双圆心骨架尖券，四边和对角线上各一道，屋面石板架在券上，形成拱顶。采用这种方式，可以在不同跨度上作出矢高相同的券，拱顶重量轻，交线分明，减少了券脚的推力，简化了施工。飞扶壁由侧厅外面的柱墩发券，平衡中厅拱脚的侧推力。为了增加稳定性，常在柱墩上砌尖塔。由于采用了尖券、尖拱和飞扶壁，哥特式教堂的内部空间高旷、单纯、统一。装饰细部如华盖、壁龛等也都用尖券作主题，建筑风格与结构手法形成一个有机的整体。

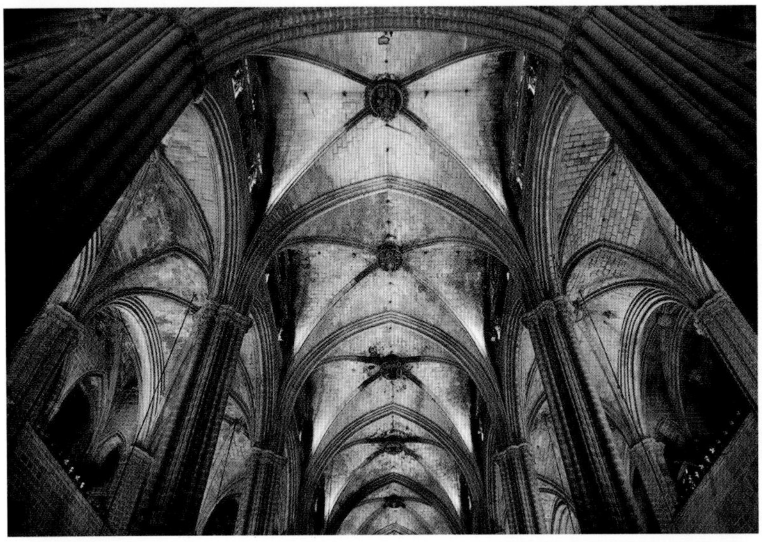

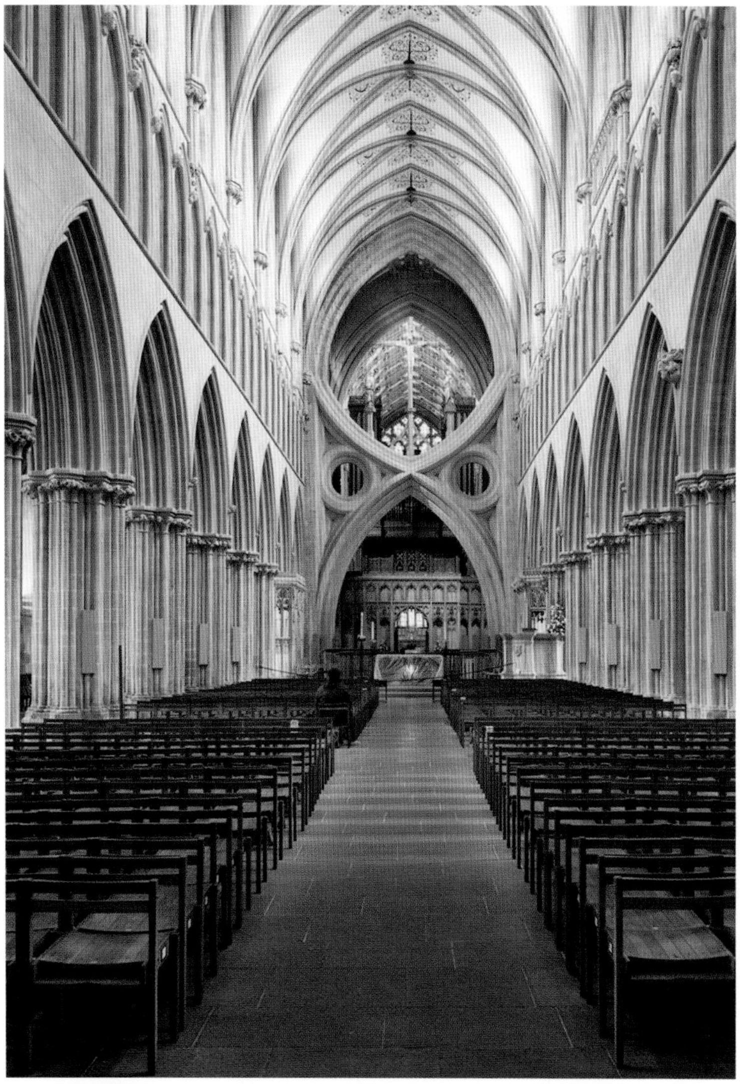

IVSTITIA